まるっとわかる！

中学英語の基本のきほん

曽根典夫

はじめに

皆さん、本書をお手に取っていただきまして、ありがとうございます。もっと英語がわかったらかっこいいな、楽しいだろうな、世の中がもっと広がるだろうな、そんなことを日々思っている人が皆さんの中にたくさんいると思います。

子どものころ、英語を話している日本人に憧れ、「私もあんなふうに英語が使えるようになりたい」、私もそんなふうに思っていたひとりです。

皆さんは、小学校・中学校の授業で初めて英語を学んだことをまだ覚えていますか。早くあんなふうに話せるようになりたいな…、そんな期待を抱いて英語学習を始めた人が多いと思います。でも、しばらくするとその淡い期待がはずれ、英語学習の難しさや大変さに気づき、挫折していく人がなんと多いことか…。そして、それでも今もまだ英語が使えるようになりたいという夢はどこかに持ち続けている人もなんと多いことか…。

本書は、これから英語を学習する人はもちろん、英語学習に挫折した学生さんや大人たちに向けた英語学習を「基本のきほん」からもう一度やりたいと思っている皆さんのために執筆しました。例文はできるだけ簡単な中学校1年生レベルの単語を繰り返し使い、「単語の壁」をできるだけ低くしました。また難しい「文法用語」もできるだけ排除しました。難しい文法用語を目にして英語嫌いになるというのもよくある話です。難しい文法用語をできるだけ使わず、簡単な単語で例文を何度も学習することで、自然と英文が表す状況を自分自身に当てはめられるようになっています。

さあ、一緒に次のページをめくりましょう。

まるっと中学英語を復習し、子どものころに憧れ続けた夢をともに叶えてみませんか。

令和6年7月

筑波大学附属高等学校

曽根典夫

もくじ

はじめに……… 3

基本のことば……… 10

・人称代名詞

・指示代名詞

・場所を表すことば

・時を表すことば

・年・月・週・日

・主な疑問詞

・方向、位置を表すことば

1章　現在形の文 ……… 15

1 be動詞の文（1）am, are〈1年〉……… 16
2 be動詞の文（2）is〈1年〉……… 18
3 be動詞の文（3）複数形〈1年〉……… 20
4 be動詞の疑問文〈1年〉……… 22
5 be動詞の否定文〈1年〉……… 24
6 一般動詞の文（1）〈1年〉……… 26
7 一般動詞の文（2）〈1年〉……… 28
8 一般動詞の否定文〈1年〉……… 30
9 一般動詞の疑問文〈1年〉……… 32
10 現在進行形の文〈1年〉……… 34

2章　過去形の文 ……… 39

1 be動詞の文（1）was, were〈1年〉…… 40
2 be動詞の文（2）was, were〈1年〉…… 42
3 be動詞の疑問文〈1年〉…… 44
4 be動詞の否定文〈1年〉…… 46
5 一般動詞の文（1）〈1年〉…… 48
6 一般動詞の文（2）〈1年〉…… 50
7 一般動詞の否定文〈1年〉…… 52
8 一般動詞の疑問文〈1年〉…… 54
9 過去進行形の文〈1年〉…… 56
10 過去進行形の疑問文〈1年〉…… 58

3章　いろいろな時制 ……… 63

1 未来を表す「be going to ～」〈2年〉…… 64
2 未来を表す「be not going to ～」〈2年〉…… 66
3 未来を表す「will ～」〈2年〉…… 68
4 未来を表す「will not ～」〈2年〉…… 70
5 現在完了形〈2年〉…… 72
6 現在完了形〔経験〕〈2年〉…… 74
7 現在完了形〔経験〕の否定文〈2年〉…… 76
8 現在完了形〔完了・結果〕〈2年〉…… 78
9 現在完了形〔継続〕〈2年〉…… 80
10 現在完了進行形〈3年〉…… 82

4章　助動詞 ……… 87

1 canの文〈1年〉 …… 88
2 canの疑問文（1）可能〈1年〉 …… 90
3 canの疑問文（2）許可〈2年〉 …… 92
4 canの疑問文（3）依頼〈2年〉 …… 94
5 willの疑問文〔依頼〕〈2年〉 …… 96
6 Shall I ～? Shall we ～?〈2年〉 …… 98
7 have to ～〈2年〉 …… 100
8 have to ～ の否定文〈2年〉 …… 102
9 must ～〈2年〉 …… 104
10 should ～〈2年〉 …… 106

5章　不定詞・動名詞・分詞 ……… 111

1 不定詞・名詞的用法（1）〈2年〉 …… 112
2 不定詞・副詞的用法（1）〈2年〉 …… 114
3 不定詞・形容詞的用法〈2年〉 …… 116
4 不定詞・名詞的用法（2）〈2年〉 …… 118
5 不定詞・名詞的用法（3）〈2年〉 …… 120
6 不定詞・副詞的用法（2）〈2年〉 …… 122
7 動名詞（～ing）の用法〈2年〉 …… 124
8 疑問詞 + to ～〈2年〉 …… 126
9 現在分詞の後置修飾〈3年〉 …… 128
10 過去分詞の後置修飾〈3年〉 …… 130

6章　受け身、接続詞

6章　受け身、接続詞 ……… 135

1 受け身の文（1）〈2年〉 ……… 136
2 受け身の文（2）〈2年〉 ……… 138
3 受け身の文（3）〈2年〉 ……… 140
4 受け身の否定文、疑問文〈2年〉 ……… 142
5 受け身の文（4）〈3年〉 ……… 144
6 受け身の文（5）〈3年〉 ……… 146
7 文と文をつなぐ接続詞that〈2年〉 ……… 148
8 文と文をつなぐ接続詞when〈2年〉 ……… 150
9 文と文をつなぐ接続詞if〈2年〉 ……… 152
10 文と文をつなぐ接続詞because〈2年〉 ……… 154

7章　いろいろな構文

7章　いろいろな構文 ……… 159

1 There is ～〈1年〉 ……… 160
2 so ～ that ...〈3年〉 ……… 162
3 too ～ to ...〈3年〉 ……… 164
4 動詞look, becomeの使い方〈3年〉 ……… 166
5 動詞give, showなどの使い方〈3年〉 ……… 168
6 動詞call, nameの使い方〈3年〉 ……… 170
7 動詞makeの使い方〈3年〉 ……… 172
8 動詞help, letの使い方〈3年〉 ……… 174
9 命令、勧誘の文〈3年〉 ……… 176
10 How ～！ What a ～！ の感嘆文〈3年〉 ……… 178

8章　いろいろな疑問詞 …… 183

1 Whatの疑問文〈2年〉…… 184
2 Whoの疑問文〈2年〉…… 186
3 Whichの疑問文〈2年〉…… 188
4 Whenの疑問文〈2年〉…… 190
5 Whereの疑問文〈2年〉…… 192
6 Whyの疑問文〈2年〉…… 194
7 Howの疑問文（1）〈2年〉…… 196
8 Howの疑問文（2）〈2年〉…… 198
9 間接疑問文（1）〈3年〉…… 200
10 間接疑問文（2）〈3年〉…… 202

9章　比較の表現 …… 207

1 比較級の文（1）〈2年〉…… 208
2 最上級の文（1）〈2年〉…… 210
3 比較級の文（2）〈2年〉…… 212
4 good, wellの比較級、最上級〈2年〉…… 214
5 比較級の文（3）〈2年〉…… 216
6 最上級の文（2）〈2年〉…… 218
7 many, muchの比較級、最上級〈2年〉…… 220
8 as ～ as 構文〈2年〉…… 222
9 as ～ as 構文の否定文〈2年〉…… 224
10 比較の疑問文、否定文〈2年〉…… 226

10章　関係代名詞、仮定法 ……… 231

1 関係代名詞who〔主格〕〈3年〉……… 232
2 関係代名詞which〔主格〕〈3年〉……… 234
3 関係代名詞who〔目的格〕〈3年〉……… 236
4 関係代名詞which〔目的格〕〈3年〉……… 238
5 仮定法（1）I wish ～ の文〈3年〉……… 240
6 仮定法（2）I wish ～ の文〈3年〉……… 242
7 仮定法（3）I wish ～ の文〈3年〉……… 244
8 仮定法（4）If I were ～ の文〈3年〉……… 246
9 仮定法（5）If I had ～ の文〈3年〉……… 248
10 仮定法（6）If it were ～ の文〈3年〉……… 250

コラム1 注意したい動詞の活用 ……… 36
コラム2 過去の文の整理 ……… 60
コラム3 時制（現在完了形と未来表現）のまとめ ……… 84
コラム4 助動詞のまとめ ……… 108
コラム5 不定詞・動名詞・分詞のまとめ ……… 132
コラム6 受け身の文のまとめ ……… 156
コラム7 書き換えられる表現 ……… 180
コラム8 いろいろな疑問詞 ……… 204
コラム9 比較の文の整理 ……… 228
コラム10 関係代名詞、仮定法 ……… 252

おわりに……… 254
質問券……… 255

※本書に掲載している「学年」は、多くの中学校英語教科書で扱われている学年を表記しています。

基本のことば

人称代名詞

	単数		複数	
＜1人称＞	私	I	私たち	we
＜2人称＞	あなた	you	あなたたち	you
＜3人称＞	彼	he	彼ら	they
	彼女	she	彼女ら	they

指示代名詞

	単数		複数	
＜近くのもの＞	これ	this	これら	these
＜離れているもの＞	あれ	that	あれら	those
	それ	it	それら	those

場所を表すことば

ここ	here	外	outside
そこ	there	中	inside
あそこ	over there		

時を表すことば

＜四季＞	春	spring	秋	fall, autumn
	夏	summer	冬	winter
＜月＞	1月	January	7月	July
	2月	February	8月	August
	3月	March	9月	September
	4月	April	10月	October
	5月	May	11月	November
	6月	June	12月	December
＜曜日＞	月曜日	Monday	金曜日	Friday
	火曜日	Tuesday	土曜日	Saturday
	水曜日	Wednesday	日曜日	Sunday
	木曜日	Thursday		
＜一日＞	午前	a.m.	正午	noon
	午後	p.m.	夕方	evening
	朝	morning	朝食	breakfast
	昼	daytime	昼食	lunch
	夜	night	夕食	supper, dinner

年・月・週・日

＜年＞	今年	this year
	去年	last year
	来年	next year
	毎年	every year
＜月＞	今月	this month
	先月	last month
	来月	next month
	毎月	every month
＜週＞	今週	this week
	先週	last week
	来週	next week
	毎週	every week
＜日＞	今日	today
	昨日	yesterday
	明日	tomorrow
	毎日	every day
	あさって	the day after tomorrow
	おととい	the day before yesterday

主な疑問詞

何	what
誰	who
いつ	when
どこ	where
なぜ	why

どれ、どちら	which
どう、どのように	how

方向、位置を表すことば

＜方向＞	右	right
	左	left
	東	east
	西	west
	南	south
	北	north
＜位置＞	上	over, upper
	下	below, under

1章

現在形の文

1 be 動詞の文（1）am, are
「〜です」

基本例文 I am a student.

I am	Yuji. Japanese. a student.
You are	happy. kind.

ポイント　＜be 動詞が am，are のとき＞「〜です」

主語 I（私）、You（あなた）とその後にくる語を「イコール」でつなぎます。

解説

I　[am]　a student.
「私は」　＝　「生徒」　→　（私は生徒[です]。）

I　[am]　happy.
「私は」　＝　「幸せ」　→　（私は幸せ[です]。）

主語が I（私）なら
am を使います。
I am Yuji.

主語「私」が、何かをするのではなく、「私は〜（という状態）です。」と説明しています。このときに使う動詞が be 動詞です。
主語が I のときには、be 動詞は am、主語が You なら、be 動詞は are です。

短く言う形（短縮形）もあります。
I am → I'm / You are → You're

これだけは覚えよう

- I am ～ .　「私は～です」
- You are ～ .　「あなたは～です」

私は生徒です。

私は	ユージ 日本人 生徒	です。
あなたは	幸せ 親切	です。

表現を増やそう

- □ Japanese　日本人
- □ student　生徒
- □ teacher　先生
- □ doctor　医師
- □ nurse　看護師
- □ happy　幸せな
- □ kind　親切な
- □ cute　かわいい
- □ active　活動的な
- □ friendly　気さくな

豆知識

am の後ろを変えて、自分のことを言ってみよう。

are の後ろを変えて、あなたの目の前にいる人のことも言えます。

I am a good tennis player.

↑

good（よい）をつけることもできます。

You are [　　　　　　].

2 be 動詞の文 (2) is

「～です」

基本例文 He is a writer.

He is	Aoi. Canadian. a writer.
She is	tall. young.

ポイント ＜be 動詞が is のとき＞「～です」

主語が He（彼）、She（彼女）、Aoi（アオイ）など「1人」のときです。

解説

be 動詞を使って、「彼」が、「彼女」が、誰なのか、どんな人なのかを表すことができます。

He　is　tall.

「彼」　＝　「背が高い」　→　（彼は背が高いです。）

短く言う形（短縮形）もあります。
He is → He's
She is → She's

人を紹介するときにも使えます。はじめに、This is John.（こちらはジョンです。）の後に、He is ～ . と続けます。これが英会話の第一歩です。

This is John.　（こちらはジョンさんです。）

He is my friend.　（彼は私の友達です。）

He is kind.　（彼は親切です。）

be 動詞は、主語とその後に続く語を＝でつなぐのでしたね。

これだけは覚えよう

・**He is ～ .**　「彼は～です」
・**She is ～ .**　「彼女は～です」

彼は作家です。

彼は	アオイ カナダ人 作家	です。
彼女は	背が高い 若い	です。

表現を増やそう

□ Canadian	カナダ人	□ tall	（背が）高い
□ writer	作家	□ young	若い
□ reporter	記者	□ smart	賢い
□ musician	音楽家	□ brave	勇敢な
□ singer	歌手	□ shy	恥ずかしがりの

主語がIとYou以外で、1つのもの、1人を表すときには、be動詞はisを使います。He, She, Aoiなどはすべてisです。

I am a student.（私は生徒です。）
You are a student.（あなたは生徒です。）
He is a student.（彼は生徒です。）

3 be 動詞の文 (3) 複数形
「～です」

基本例文　They are artists.

They are	artists. musicians.
We are	fine. busy. hungry.

ポイント　<be 動詞が are のとき>「～です」

主語が2人・2つ以上のもの〔複数〕のときです。

解説

「ボブとジョンは～」のように主語が複数のときには、be 動詞は is ではなく、are を使って、Bob and John are ～ . とします。

Bob and John　are　artists.
→ They　are　artists.　（彼らは芸術家です。）
主語が複数のとき、artist に s をつけて、artists〔複数形〕にします。

You and I　are　fine.
→ We　are　fine.　（私たちは元気です。）
自分を含むため We（私たち）です。

これだけは覚えよう

・They are ～ .　「彼らは～です」
・We are ～ .　「私たちは～です」

彼らは芸術家です。

彼らは	芸術家 音楽家	です。
私たちは	元気 忙しい 空腹	です。

表現を増やそう

□ artist(s)	芸術家	□ fine	元気な
□ musician(s)	音楽家	□ busy	忙しい
□ actor(s)	俳優	□ hungry	お腹がすいた
□ photographer(s)	写真家	□ full	お腹がいっぱいの
□ designer(s)	デザイナー	□ tired	疲れた

豆知識

英語は、単数と複数の区別が大切です。主語が単数なのか、複数なのかで、be 動詞の形を使い分けます。

1人、1つは単数
Bob（ボブ）

2人以上、2つ以上は複数
Bob and John

Bob **is** an artist.
（ボブは芸術家です。）

Bob and John **are** artists.
（ボブとジョンは芸術家です。）

4 be 動詞の疑問文
「〜ですか？」

基本例文　Are you **busy**?

Are you	Mr. Brown? American?
Is he Is she	busy? good? tired?

ポイント　<Are / Is ＋主語〜？>「…は〜ですか？」

be 動詞の疑問文は、be 動詞で文を始めます。

解説

「あなたは忙しいです。」の文に対して、「あなたは忙しいですか？」のように質問する文を**疑問文**といいます。「〜ですか？」とたずねるときは、be 動詞を主語の**前**におきます。

<主語が You のとき>

肯定文　You are busy.（あなたは忙しいです。）

疑問文　Are you busy?

答え方　Yes, I am.（はい、そうです。）
No, I'm not.（いいえ、違います。）

<主語が He のとき>

肯定文　He is busy.（彼は忙しいです。）

疑問文　Is he busy?

「〜です」などの文を肯定文といいます。

答え方　Yes, he is.（はい、そうです。）
No, he is not.（いいえ、違います。）

これだけは覚えよう

・**Are you ～？**　「あなたは～ですか？」
・**Is he / she ～？**　「彼／彼女は～ですか？」

あなたは忙しいですか？

あなたは	ブラウンさんですか？ アメリカ人ですか？
彼は 彼女は	忙しいですか？ 元気ですか？ 疲れていますか？

表現を増やそう

- □ Mr. Brown　ブラウンさん〔男性〕
- □ Ms. Brown　ブラウンさん〔女性〕
- □ American　アメリカ人
- □ British　イギリス人
- □ French　フランス人
- □ busy　忙しい
- □ good　元気な
- □ tired　疲れた
- □ angry　怒った
- □ sleepy　眠い

豆知識

Q: Am I ～？は言わないのですか？

A: あまり使われませんが、チャイムが鳴ってから教室に入って、先生に “Am I late?”（私、遅刻ですか？）と言うことがあります。

5 be動詞の否定文
「～ではありません」

基本例文　I am not a junior high school student.

I am You are He is She is	not	Ichiro. Chinese. free. sick. lonely.

ポイント　<be動詞 + not>「～ではありません」

be動詞の後ろにnotをおくだけです。

解説

「私は中学生ではありません。」のように、「～ではない」と否定する文を否定文といいます。be動詞の否定文はbe動詞の後ろにnotをおきます。

肯定文　I am a junior high school student.　（私は中学生です。）

↓

否定文　I am not a junior high school student.　（私は中学生ではありません。）
(I'm not)

am notの短縮形はなく、短く言うときはI'm notで表します。

「～ですか？」とたずねる文（疑問文）で聞かれたとき、「～ではありません。」と答え、さらに1文を加えることで、丁寧な返事になります。

疑問文　Is she your sister?　（彼女はあなたの姉ですか？）

答え方　No, she isn't. She is my friend.（いいえ。彼女は私の友人です。）

\\ これだけは覚えよう //

- I am not ～ .　「私は～ではありません」
- You are not ～ .　「あなたは～ではありません」

私は中学生ではありません。

私は あなたは 彼は 彼女は	イチロウでは 中国人では 暇では 具合が悪く 寂しく	ありません。

表現を増やそう

□ Chinese	中国人	□ free	暇な
□ Japanese	日本人	□ sick	具合が悪い
□ Korean	韓国人	□ lonely	さびしい
□ American	アメリカ人	□ kind	親切な
□ British	イギリス人	□ shocked	ショックを受けた

豆知識

3通りの否定の言い方

疑問文　Is he free now?（彼は今、暇ですか？）

答え方　Yes, he is.

① No, he isn't. / ② No, he's not. / ③ No, he is not.

6 一般動詞の文 (1)

「〜します」

基本例文 I play soccer.

I You	play soccer. like cats. have a brother. speak Japanese. make pancake.

ポイント <主語 + 一般動詞>「…は〜します」

動詞はbe動詞と一般動詞の2種類です。一般動詞もbe動詞と同じように、主語のすぐ後ろにおきます。

解説

英語には、be動詞とそれ以外の動詞の2種類があります。ここでは、be動詞ではない「ふつうの動詞〔一般動詞〕」についてお話します。この動詞は自分 (I) や相手 (You) が、ふだん「する」ことについて話すときに使います。

be動詞の文　I　[am]　a student.　(私は生徒です。)
「私は」「です」「生徒」

一般動詞の文　I　[play]　soccer.　(私はサッカーをします。)
「私は」「(を)します」「サッカー」

語順はI am a student.と同じです。

だれが〔主語〕、どうする〔動詞〕、何を〔目的語〕の順番で表します。

これだけは覚えよう

・I ＋ 一般動詞～．　「私は～します」
・You ＋ 一般動詞～．　「あなたは～します」

私はサッカーをします。

私は	サッカーをします。 ネコが好きです。
あなたは	弟がいます。 日本語を話します。 パンケーキを作ります。

表現を増やそう

- □ play　（運動など）をする
- □ like　～を好む
- □ have　～を持っている
- □ speak　～を話す
- □ make　～を作る
- □ know　～を知っている
- □ want　～をほしがっている
- □ read　～を読む
- □ watch　～を見る
- □ eat　～を食べる

豆知識

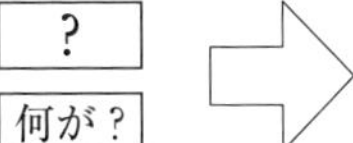

What animal do you like?
（あなたは何の動物が好きですか？）と
たずねられたときに、I like ～と言います。

この何が？の部分に、好きなこと・好きなものをおきます。

例　I like cats.　（私はネコが好きです。）

7 一般動詞の文 (2)

「～します」

基本例文 He plays soccer.

He She	plays soccer. likes cats. speaks English. makes cookies. reads books every day.

ポイント　<主語 + 一般動詞 (e)s>「…は～します」

主語が He、She、人名のとき、動詞の最後に (e)s をつけます。

解説　「人称」とは？

主語が I（私）や You（あなた）、複数 We（私たち）などのときは、動詞はそのままの形です。

1人称：「自分のこと」私・私たち

I play soccer.

2人称：「聞き手のこと」あなた・あなたたち

You play soccer.

3人称：「自分（たち）」と「あなた（たち）」以外を指す語：

彼(He)、彼女(She)、それ(It)、彼ら・それら（They）など。

He plays soccer.　＊動詞の最後に s がつきます。

They play soccer.　＊主語が複数形のときは s はつきません。

\\ これだけは覚えよう //

・He / She + 一般動詞 (e)s ～. 「彼／彼女は～します」

彼はサッカーをします。

彼は 彼女は	サッカーをします。 ネコが好きです。 英語を話します。 クッキーを作ります。 本を毎日読みます。

表現を増やそう

□ play(s)	～をする	□ soccer	サッカー
□ like(s)	～を好む	□ swimming	水泳
□ speak(s)	～を話す	□ dance	ダンス
□ make(s)	～を作る	□ tennis	テニス
□ read(s)	～を読む	□ baseball	野球

豆知識

「3 単現の s」とは？

3 人称・単数・現在：3 人称（he, she, it など）で、単数（1 つ、1 人）そして現在形の 3 つの条件がそろったとき、動詞の最後に (e)s がつきます。

彼　：He plays soccer.

彼女：She plays soccer.

ジョン：John plays soccer.

8 一般動詞の否定文
「～しません」

基本例文 I do not play the piano.

I You	do not	play the piano. like coffee. speak Chinese. have coffee. watch TV dramas.
He She	does not	

ポイント <do / does not + 動詞の原形>「～しません」

not の後ろの動詞はそのままの形（原形）です。

解説

(1)「私は～しません」

I play the piano.　→　I do not play the piano.

（私はピアノを弾きません。）

(2)「彼は～しません」

動詞を原形にします。

He plays the piano.　→　He does not play the piano.

（彼はピアノを弾きません。）

主語が He（彼）、She（彼女）、Bob（ボブ）〔人名〕などのときは、一般動詞の最後に (e)s がつきます。否定文は、**do に es をつけて、does not** にします。そのときには、動詞についた s がなくなることに気をつけましょう。

・主語が I、You のとき　　I/You don't ～ .
・主語が He、She などのとき　He/She doesn't ～ .

\\\\これだけは覚えよう//

- **I do not ～.**　「私は～しません」
- **He/She does not ～.**　「彼／彼女は～しません」

私はピアノを弾きません。

私は	ピアノを弾きません。
あなたは	コーヒーが好きではありません。
	中国語を話しません。
彼は	コーヒーを飲みません。
彼女は	テレビドラマを見ません。

表現を増やそう

□ coffee	コーヒー	□ rice	米
□ milk	牛乳	□ bread	パン
□ tea	紅茶	□ sandwich	サンドイッチ
□ green tea	緑茶	□ spaghetti	スパゲッティ
□ juice	ジュース	□ pizza	ピザ

豆知識

〈主語がI，You，複数のとき〉

I play tennis.
I　don't play tennis.
You　don't play tennis.
They don't play tennis.

〈主語が3人称・単数のとき〉

Bob　plays tennis.
Bob doesn't play tennis.

ふだんは短縮形を使うことが多いです。
do not → don't
does not → doesn't

9 一般動詞の疑問文
「～しますか？」

基本例文 Do you play the violin?

Do	you	play the violin? like green tea? speak Chinese?
Does	he she	have a car? watch TV dramas?

ポイント ＜Do / Does ＋主語～？＞「…は～しますか？」

一般動詞の疑問文は Do または Does で文を始めます。

解説

(1) 主語が You のとき：Do を文の最初におきます。

肯定文　You play the piano.（あなたはピアノを弾きます）

疑問文　Do you play the piano?（あなたはピアノを弾きますか？）

答え方　Yes, I do.（はい、弾きます。）

No, I don't.（いいえ、弾きません。）

Do で聞かれたら、
do を使って答えます。

(2) 主語が He, She など（3人称・単数）のとき：Does を主語の前におきます。このとき、動詞 plays をもとの形（原形 play）にします。

肯定文　He plays the violin.

疑問文　Does he play the violin?

答え方　Yes, he does.（はい、弾きます）

No, he doesn't.（いいえ、弾きません）

Does で聞かれたら、
does を使って答えます。

これだけは覚えよう

- Do you ～？　「あなたは～しますか？」
- Does he/she ～？　「彼／彼女は～しますか？」

あなたはバイオリンを弾きますか？

あなたは	バイオリンを弾きますか？ 緑茶が好きですか？ 中国語を話しますか？
彼は 彼女は	車を持っていますか？ テレビドラマを見ますか？

表現を増やそう

□ violin	バイオリン	□ clarinet	クラリネット
□ piano	ピアノ	□ sax	サックス
□ recorder	リコーダー	□ drums	ドラム
□ flute	フルート	□ harmonica	ハーモニカ
□ trumpet	トランペット	□ bass guitar	ベースギター

豆知識

主語が3人称・単数のときは、疑問文はDoesを使います。動詞はそのままの形（原形）です。

〈主語がI，You，複数のとき〉

Do you ～?

Do they ～?

例　Do you speak Chinese?

〈主語が3人称・単数のとき〉

Does he ～?

Does she ～?

例　Does he speak Chinese?

10 現在進行形の文
「(今) ～しているところです」

基本例文　I am studying English now.

I am You are He / She is	studying English playing the guitar reading a book eating lunch watching TV	now.

ポイント　<be 動詞＋～ ing 形>「(今) ～しているところです」
現在進行形は、ちょうど今している最中の動作です。

解説

(1) ＜現在形＞
He studies English every day.　(彼は毎日、英語を勉強します。)
＊現在形は「ふだん、繰り返していること」を表します。

(2) ＜現在進行形＞
He is studying English now.　(彼は今、英語を勉強しているところです。)

「私は・あなたは・彼は・彼女は、今～しているところです」

I	am	
You	are	studying English now.
He / She	is	※ now を入れて、「今」をはっきり示しましょう。

be 動詞は主語によって、使い分けます。

＼＼これだけは覚えよう／／

- I am ～ ing.「私は～しているところです」
- He / She is ～ ing.「彼／彼女は～しているところです」

私は今、英語を勉強しているところです。

私は あなたは 彼は 彼女は	今	英語を勉強しているところです。 ギターを弾いているところです。 本を読んでいるところです。 昼食を食べているところです。 テレビを見ているところです。

表現を増やそう

□ English	英語	□ history	歴史
□ music	音楽	□ P.E.	体育
□ math	数学	□ Japanese	国語
□ art	美術	□ social studies	社会
□ science	理科	□ moral education	道徳

豆知識

〈現在進行形にならない動詞〉

know（知っている）や belong（所属している）は現在進行形の ing 形をとりません。それぞれ知っている状態、所属している状態を表し、動作ではないからです。

He knows many English words.（彼はたくさんの英単語を知っています。）

She belongs to the tennis club.（彼女はテニス部に入っています。）

注意したい動詞の活用

❶ 〜します：注意すべき３単現の s

３人称単数のときには、一般動詞のあとに s をつけます。ここでは、それ以外の３つのパターンを紹介します。

(1) ＜es をつける動詞＞

go → goes
teach → teaches
watch → watches
wash → washes

Bob watches TV after dinner.（ボブは夕食後にテレビを見ます。）

(2) ＜y を i にかえて es をつける動詞＞

study → studies
try → tries

Bob studies Japanese.（ボブは日本語を勉強します。）

(3) ＜形が変わる動詞＞

have → has

My brother has a new bag.（私の弟は新しいカバンを持っています。）

相手に質問するときによく使う表現が Are you 〜？です。
①②は「野球は好きか」、③は「部活動に入っているか」、
④は「料理は得意か」などを聞くことができます。

① Are you a baseball fan?
② Are you interested in baseball?
③ Are you in a club?
④ Are you good at cooking?

❷ しています：注意すべき ing 形

多くの動詞は、そのまま直後に ing をつけます。ここでは、そうではない動詞の 2 つのパターンを紹介します。

(1) ＜ e で終わる動詞＞

最後の e をとって ing

use → using
make → making
write → writing

(2) ＜最後の 1 文字を重ねる場合＞

最後の 1 文字を重ねて ing

run → running
sit → sitting
swim → swimming

❸ ここで差をつける！

＜進行形にしない動詞たち＞

×「持っている」「飼っている」という意味ではI'm having a cat. とは言いません。

・have（持っている） I have a cat. （私はネコを飼っています。）
・know（知っている） I know Mary. （私はメアリーを知っています。）
・like（好きである） I like English. （私は英語が好きです。）

これらは体の動きではない動詞で**状態動詞**といいます。動作を表さないので、現在進行形の形をとりません。「～ています」の日本語に引っぱられないようにしましょう。

例えば、I have a cat. は、実際にネコを飼っていれば、学校でも、家でも、その場でネコを抱っこしていなくても言える表現です。

2章

過去形の文

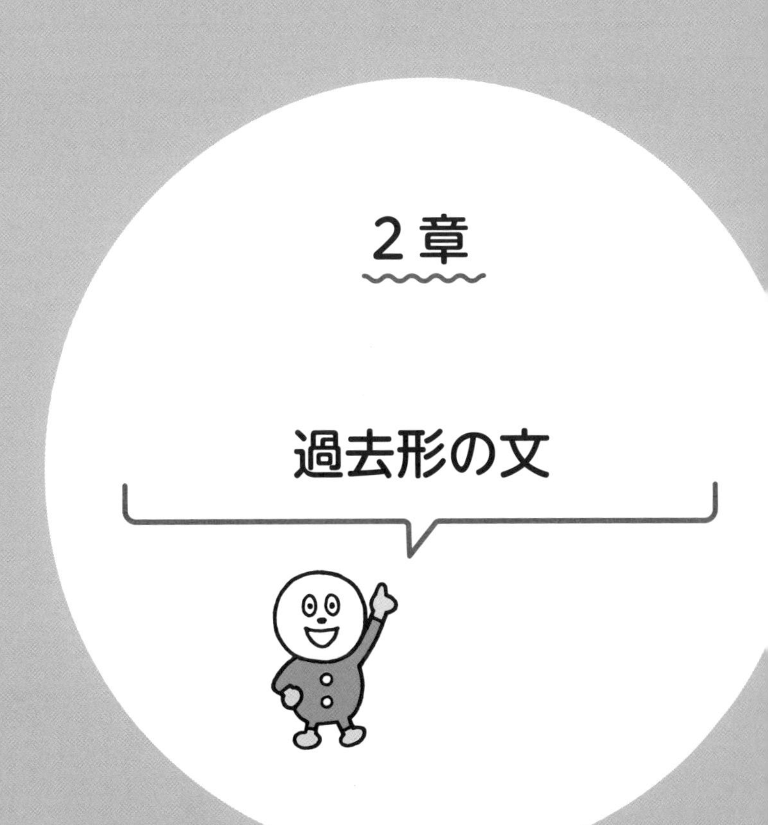

1 be 動詞の文 (1) was, were
「～でした」

基本例文 I was busy yesterday.

I / He / She	was	busy / free / sleepy / sick / tired	yesterday.
You	were		

ポイント ＜be 動詞が was, were のとき＞「～でした」

be 動詞 am, is の過去形は was で、are の過去形は were です。

解説

be 動詞の過去形は was、were の２つを主語によって使い分けます。

現在形		
I	am	～
He, She, It	is	
You	are	
We, They		

過去形		
I	was	～
He, She, It		
You	were	
We, They		

今（現在）と昨日（過去）の例を見てみましょう。

＜現在形＞ I am busy today. （私は今日、忙しいです。）

＜過去形＞ I was busy yesterday. （私は昨日、忙しかったです。）

昨日、あのとき、どうだったのかを表すときに使うのが過去形です。

\\ これだけは覚えよう //

・I was ～ .　「私は～でした」
・You were ～ .　「あなたは～でした」

私は昨日、忙しかったです。

私は 彼は 彼女は あなたは	昨日	忙しかったです。 暇でした。 眠かったです。 病気でした。 疲れていました。

表現を増やそう

□ busy	忙しい	□ sunny	晴れた
□ free	暇な	□ rainy	雨の
□ sleepy	眠い	□ cloudy	曇った
□ sick	病気の	□ windy	風の強い
□ tired	疲れた	□ snowy	雪の多い

豆知識

天候を表すときは主語を It にします。

It is sunny today.　（今日は晴れです。）
It was sunny yesterday.　（昨日は晴れでした。）
It will be sunny tomorrow.　（明日は晴れるでしょう。）

2 be動詞の文 (2) was, were

「～にいました」

基本例文 I was at home yesterday.

I / He / She	was	at home / at school / in the gym / in the classroom / in Kyoto	yesterday.
You / We / They	were		

ポイント <be動詞（was / were）＋場所>「～にいました」

be動詞は「～です」「～にいます」を表します。

解説

場所の表現と一緒にbe動詞を見てみましょう。

at ~は「狭い場所」、in ~は「広い場所」（～の中に）を表します。

I was at home yesterday.　（私は昨日、家にいました。）

He was in the gym yesterday.　（彼は昨日、体育館にいました。）

We were in Kyoto yesterday.　（私たちは昨日、京都にいました。）

be動詞の後ろには名詞をおいて、人を紹介することもできます。

This is my father. He was a soccer player ten years ago.

（こちらは私の父です。彼は10年前、サッカー選手でした。）

\\ これだけは覚えよう //

- I was at ～ .　「私は～にいました」
- You were in ～ .　「あなた（たち）は～にいました」

私は昨日、家にいました。

私は 彼は 彼女は	昨日	家に 学校に 体育館に 教室に 京都に	いました。
あなた（たち）は 私たちは 彼らは			

表現を増やそう

- □ at home　家に
- □ in school　学校に
- □ in the gym　体育館に
- □ in Kyoto　京都に
- □ reporter　記者
- □ teacher　先生
- □ artist　芸術家
- □ cook　料理人

豆知識

I was at home yesterday.
I ＝ at home
（私は）（家に）

He was a soccer player ten years ago.
He ＝ a soccer player
（彼は）（サッカー選手）

be動詞は、主語とその後に続く語を＝でつなぐのでしたね。

3 be 動詞の疑問文
「～でしたか？」

基本例文　Were you busy yesterday?

Were you Was he Was she	busy free tired at home in the park	yesterday?

ポイント　<Were you ～？>「あなたは～でしたか？」

be 動詞の疑問文は、be 動詞で文を始めます。

解説

「～ですか？」とたずねるときは、be 動詞を主語の前におきます。ルールは１つ、be 動詞の疑問文は be 動詞で文を始めます。

<主語が He のとき>

He was ～ .（彼は～でした。）の疑問文は Was he ～？（彼は～でしたか？）です。

肯定文　He was busy yesterday.

Was [Were] でたずねて、was [were] で答えます。

↓

疑問文　Was he busy yesterday?　（彼は昨日、忙しかったですか？）

答え方　Yes, he was.　（はい、そうでした。）

No, he wasn't.　（いいえ、そうではありませんでした。）

\\これだけは覚えよう//

・Were you ～？　「あなたは～でしたか？」
・Was he / she ～？　「彼／彼女は～でしたか？」

あなたは昨日、忙しかったですか？

あなたは	昨日	忙しかったですか？ 暇でしたか？ 疲れていましたか？ 家にいましたか？ 公園にいましたか？
彼は 彼女は		

表現を増やそう

- □ busy　忙しい
- □ free　暇な
- □ tired　疲れた
- □ sick　病気の
- □ angry　怒った
- □ at home　家に
- □ at school　学校に
- □ in the park　公園に
- □ in the gym　体育館に
- □ in Yokohama　横浜に

豆知識

＜あなたは～にいましたか？＞

ある場所にいたかどうかをたずねることができます。

A：Were you in Fukuoka yesterday?　（あなたは昨日、福岡にいましたか？）

B：Yes, I was. I visited my uncle.　（はい、いました。おじさんを訪ねました。）

4 be 動詞の否定文
「～ではありませんでした」

基本例文 I was not busy yesterday.

I / He / She was	not	busy	yesterday.
You were		free	
		fine	
		happy	
		sad	

ポイント <I was not ～>「私は～ではありませんでした」

be 動詞の否定文は、be 動詞の後ろに not をおくだけです。

解説

be 動詞の「否定文」は過去形のときも、be 動詞の後ろに「～でない」という意味の not をおきます。

「～でしたか？」とたずねる文（疑問文）で聞かれたとき、「～ではありませんでした。」と答え、さらに 1 文を加えることで、丁寧な返事になります。

肯定文 I was busy yesterday.　　You were busy yesterday.

↓　　↓

否定文 I was [not] busy yesterday.　　You were [not] busy yesterday.

(wasn't)　　(weren't)

（私は昨日忙しくありませんでした。）（あなたは昨日忙しくありませんでした。）

\\ これだけは覚えよう //

- I was not ～ .　「私は～ではありませんでした」
- You were not ～ .　「あなたは～ではありませんでした」

私は昨日、忙しくはありませんでした。

私は 彼は 彼女は あなたは	昨日	忙しくはありませんでした。 暇ではありませんでした。 元気ではありませんでした。 うれしくありませんでした。 悲しくありませんでした。

表現を増やそう

□ fine	元気な	□ tired	疲れた
□ free	暇な	□ angry	怒った
□ good	よい	□ hungry	空腹の
□ happy	うれしい	□ full	満腹の
□ sad	悲しい	□ calm	落ちついた

豆知識

「主語＋ be 動詞＋ not」の順で比べましょう。

〈現在の文〉 He is not in the library.　（彼は図書館にいません。）

〈過去の文〉 He was not in the library yesterday.

（彼は昨日、図書館にはいませんでした。）

be 動詞の否定　現在形　am not,　is not,　are not
↓　↓　↓
過去形　was not, was not, were not

5 一般動詞の文 (1)

「～しました」

基本例文　I played soccer last week.

I You He She	played soccer called Yuji enjoyed the party watched the movie cleaned the kitchen	yesterday.

ポイント　<主語＋一般動詞の過去形>「～しました」

一般動詞の過去形は、主語が何でも形は同じです。

解説

英語では、「昨日、サッカーをしました」のように過去のことを言うときには、動詞の形を過去形に変えます。

<現在形>		<過去形>
I play soccer. （私はサッカーをします。）	→	I played soccer yesterday. （私は昨日、サッカーをしました。）
He plays soccer. （彼はサッカーをします。）	→	He played soccer yesterday. （彼は昨日、サッカーをしました。）

一般動詞の過去形は、主語が何でも動詞の形は同じです。

\\ これだけは覚えよう //

・I ＋ 動詞の過去形〜．　　「私は〜しました」

私は先週、サッカーをしました。

私は	昨日	サッカーをしました。
あなたは		ユージに電話しました。
彼は		パーティを楽しみました。
彼女は		その映画を見ました。
		台所を掃除しました。

表現を増やそう　　※（　）内は動詞の過去形

- □ play(ed)　（スポーツなど）をする
- □ call(ed)　〜に電話をする
- □ clean(ed)　〜を掃除する
- □ enjoy(ed)　〜を楽しむ
- □ help(ed)　〜を手伝う
- □ watch(ed)　〜を見る
- □ join(ed)　〜に参加する
- □ show(ed)　〜を見せる

豆知識

過去の「いつのことか」を表すときには、次の語句をよく使います。

昨日、この前の	（今から）〜前に
yesterday　（昨日）	one hour ago　（1時間前に）
last week　（先週）	two days ago　（2日前に）
last month　（先月）	three weeks ago（3週間前に）
last year　（去年）	four years ago　（4年前に）

6 一般動詞の文 (2)

「～しました」

基本例文 I lived in Kyoto last year.

I	lived in Kyoto	
You	studied dance in London	
	planned a trip to Osaka	last year.
He	went to Tokyo	
She	bought a bike	

ポイント ＜主語＋一般動詞の過去形＞「～しました」

一般動詞の最後の文字によって、-ed の作り方が変わります。

解説

一般動詞の過去形には、ed をそのままつける以外に、2種類あります。

(1) ＜ed のすぐ前が少し変わる動詞＞

①y を i に変えて ed をつける動詞

study → studied

②最後の文字を重ねて ed をつける動詞

stop → stopped　　plan → planned

(2) ＜ed をつけずに、動詞そのものが変化する動詞＞

go → went のように、過去形の形そのものが変わる動詞があります。このような動詞を不規則動詞といいます。

\\ これだけは覚えよう //

・I ＋ 動詞の過去形～．「私は～しました」

私は去年、京都に住んでいました。

私は	去年	京都に住んでいました。
あなたは		ロンドンでダンスを勉強しました。
彼は		大阪への旅行を計画しました。
彼女は		東京に行きました。
		自転車を買いました。

表現を増やそう　※（　）内は動詞の過去形

- □ live (lived) 住んでいる
- □ study (studied) ～を勉強する
- □ plan (planned) ～を計画する
- □ go (went) 行く
- □ buy (bought) ～を買う
- □ use (used) ～を使う
- □ try (tried) ～を試す
- □ stop (stopped) ～をやめる
- □ read (read) ～を読む

※ read は発音だけが変わります。原形は「リード」、過去形は「レッド」と読みます。

チャレンジ！　ひと息で5回！
go-went, go-went, go-went, go-went, go-went ！

7 一般動詞の否定文
「～しませんでした」

基本例文　I did not clean the room last week.

I You He She	did not	clean the room use the car study math come here go to Nagoya	last week.

ポイント　＜did not ＋ 動詞の原形＞「～しませんでした」

did not の短縮形は didn't です。

解説

＜過去形の否定文＞

「～しません」という現在形の否定文は、do not（短縮形 don't）と does not（短縮形 doesn't）を主語によって使い分けましたね。過去形の否定文は、主語が何であっても、did not（短縮形 didn't）です。

＜現在形＞

I do not play soccer.
（私はサッカーをしません。）

He does not play soccer.
（彼はサッカーをしません。）

現在形の文は、主語によって do not と does not を使い分けます。

＜過去形＞

I did not play soccer yesterday.
（私は昨日、サッカーをしませんでした。）

He did not play soccer yesterday.
（彼は昨日、サッカーをしませんでした。）

過去形の文は、主語が何であっても、did not を使います。

＼これだけは覚えよう／

・I did not + 動詞の原形〜.　「私は〜しませんでした」
・He / She did not + 動詞の原形〜 .「彼／彼女は〜しませんでした」

私は先週、部屋を掃除しませんでした。

私は	先週	部屋を掃除しませんでした。
あなたは		その車を使いませんでした。
彼は		数学を勉強しませんでした。
彼女は		ここに来ませんでした。
		名古屋へ行きませんでした。

表現を増やそう

※（　）内は動詞の過去形

- □ clean (cleaned)　〜を掃除する
- □ use (used)　〜を使う
- □ study (studied)　〜を勉強する
- □ come (came)　来る
- □ go (went)　行く
- □ see (saw)　〜を見る
- □ take (took)　〜を取る
- □ find (found)　〜を見つける
- □ eat (ate)　〜を食べる
- □ buy (bought)　〜を買う

8 一般動詞の疑問文

「～しましたか？」

基本例文 Did you play the violin yesterday?

Did you	play the violin	yesterday?
	meet Tom	
Did he	find that book	
Did she	make a cake	
	take many photos	

ポイント ＜Did ＋主語＋動詞の原形？＞「…は～しましたか？」

「～しましたか？」とたずねるとき、一般動詞の疑問文は Did で文を始めます。

解説

＜過去形の疑問文＞

「～しますか？」という現在形の疑問文は、主語によって Do と Does を使い分けましたね。過去形の疑問文は、主語が何であっても Did です。

主語が変わっても、Did を使います。

＜現在形＞	＜過去形＞
Do you play soccer?	Did you play soccer yesterday?
（あなたはサッカーをしますか？）	（あなたは昨日、サッカーをしましたか？）
Does he play soccer?	Did he play soccer yesterday?
（彼はサッカーをしますか？）	（彼は昨日、サッカーをしましたか？）

Did で聞かれたら、did を使って答えます。

答え方 Yes, I [he] did.（はい、しました。）

No, I [he] didn't.（いいえ、しませんでした。）

\\ これだけは覚えよう //

- Did you ～？　「あなたは～しましたか？」
- Did he / she ～？　「彼／彼女は～しましたか？」

あなたは昨日、バイオリンを弾きましたか？

あなたは	昨日	バイオリンを弾きましたか？
		トムに会いましたか？
彼は 彼女は		あの本を見つけましたか？
		ケーキを作りましたか？
		たくさん写真を撮りましたか？

表現を増やそう　※（　）内は動詞の過去形

□ play (played)	（楽器など）を弾く	□ visit (visited)	～を訪問する
□ meet (met)	～に会う	□ cook (cooked)	～を料理する
□ find (found)	～を見つける	□ wash (washed)	～を洗う
□ make (made)	～を作る	□ charge (charged)	～を充電する
□ take (took)	～をとる	□ begin (began)	～を始める

9 過去進行形の文
「～しているところでした」

基本例文 I was playing tennis then.

I / He / She was	playing tennis	then.
You were	reading a book	
	writing a letter	
	watching TV	
	listening to music	

ポイント　<be 動詞（was / were）＋動詞の ing 形>

「～しているところでした」

「まさにあのとき」という時を表す言葉に注意しましょう。

解説

「(あのとき）～しているところでした」のように、過去のある時点で、まさにその行動の最中だった動作を表す文(過去進行形)についてお話します。

「母は1時間前、テレビを見ているところでした。」

My mother was watching TV one hour ago.

過去のある時点

<過去進行形>

「私は・あなたは・彼は・彼女は、1時間前、～しているところでした」

I	was	playing tennis one hour ago.
You	were	
He / She	was	

be 動詞は主語によって使い分けます。

これだけは覚えよう

- I was ～ ing.　「私は～しているところでした」
- You were ～ ing.「あなたは～しているところでした」

私はあのとき、テニスをしているところでした。

私は 彼は 彼女は あなたは	あのとき	テニスをしているところでした。 本を読んでいるところでした。 手紙を書いているところでした。 テレビを見ているところでした。 音楽を聞いているところでした。

表現を増やそう

※（　）内は動詞の ing 形

- □ play(ing)　～をする
- □ read(ing)　～を読む
- □ listen(ing)　聞く
- □ write (writing)　～を書く
- □ make (making)　～を作る
- □ run (running)　走る

豆知識

＜動詞の ing 形の作り方＞

(1) そのまま ing	play	→	playing
(2) e をとって ing	make	→	making
(3) 文字を重ねて ing	run	→	running

10 過去進行形の疑問文
「～しているところでしたか？」

基本例文　Were you sleeping then?

Were you Was he Was she	sleeping watching TV listening to the radio riding a bike swimming	then?

ポイント　<be 動詞（Was / Were）＋主語＋動詞の ing 形？>

「～しているところでしたか？」

作り方は、be 動詞の疑問文と同じです。

解説

過去進行形の疑問文は、be 動詞と主語の位置をかえます。
「過去のあのとき、まさに、何かをしていましたか？」という意味です。

過去進行形の疑問文にするには、文の先頭（主語の前）に be 動詞の過去形をおきます。

肯定文　He was sleeping at that time.
↓　（彼はあのとき、寝ているところでした。）

疑問文　Was he sleeping at that time?
（彼はあのとき、寝ているところでしたか？）

答え方　Yes, he was.　（はい、寝ているところでした。）
No, he wasn't.　（いいえ、寝ていませんでした。）

was not は wasn't、were not は weren't へ短縮して使うことができます。

\\\\これだけは覚えよう//

・**Were you ～ ing?**　「あなたは～しているところでしたか？」
・**Was he / she ～ ing?**「彼／彼女は～しているところでしたか？」

あなたはあのとき、寝ているところでしたか？

あなたは	あのとき	寝ているところでしたか？
		テレビを見ているところでしたか？
		ラジオを聞いているところでしたか？
彼は 彼女は		自転車に乗っているところでしたか？
		泳いでいるところでしたか？

表現を増やそう　　※（　）内は動詞の ing 形

□ sleep(ing)	眠る	□ teach(ing)	～を教える
□ watch(ing)	～を見る	□ sell(ing)	～を売る
□ listen(ing)	聞く	□ build(ing)	～を建てる
□ ride (riding)	～に乗る	□ come (coming)	来る
□ swim (swimming)	泳ぐ	□ run (running)	走る

豆知識

過去進行形の疑問文の答え方は、be 動詞の過去形の疑問文と同じです。

You were busy. → Were you busy?

答え方　Yes, I was. / No, I wasn't.

過去の文の整理

＜be 動詞の文＞　＜一般動詞の文＞

❶ 肯定文

＜be 動詞の文＞

<table>
<tr><td>I</td><td>was</td><td rowspan="4">～.</td></tr>
<tr><td>You</td><td>were</td></tr>
<tr><td>He
She
It</td><td>was</td></tr>
<tr><td>We
They</td><td>were</td></tr>
</table>

＜一般動詞の文＞

<table>
<tr><td>I</td><td rowspan="4">played</td><td rowspan="4">～.</td></tr>
<tr><td>You</td></tr>
<tr><td>He
She
It</td></tr>
<tr><td>We
They</td></tr>
</table>

❷ 否定文

＜be 動詞の文＞

<table>
<tr><td>I</td><td>wasn't</td><td rowspan="4">～.</td></tr>
<tr><td>You</td><td>weren't</td></tr>
<tr><td>He
She
It</td><td>wasn't</td></tr>
<tr><td>We
They</td><td>weren't</td></tr>
</table>

＜一般動詞の文＞

<table>
<tr><td>I</td><td rowspan="4">didn't</td><td rowspan="4">play</td><td rowspan="4">～.</td></tr>
<tr><td>You</td></tr>
<tr><td>He
She
It</td></tr>
<tr><td>We
They</td></tr>
</table>

❸ 疑問文

＜be 動詞の文＞

<table>
<tr><td>Was</td><td>I</td><td rowspan="4">～?</td></tr>
<tr><td>Were</td><td>You</td></tr>
<tr><td>Was</td><td>he
she
it</td></tr>
<tr><td>Were</td><td>we
they</td></tr>
</table>

＜一般動詞の文＞

<table>
<tr><td rowspan="4">Did</td><td>I</td><td rowspan="4">play</td><td rowspan="4">～?</td></tr>
<tr><td>You</td></tr>
<tr><td>he
she
it</td></tr>
<tr><td>we
they</td></tr>
</table>

❶ 肯定文

be 動詞の過去形は、am, is → was に、are → were になります。
一般動詞の過去形は、play（played）のように ed のつくものと、eat - ate - eaten（食べる）のように形そのものが変わる不規則動詞があります。

I was busy.　I played tennis.　I ate cookies.

❷ 否定文

be 動詞のときは、was, were の後ろに not をつけます。
一般動詞のときは、動詞の前に did not をつけて、続く動詞がもとの形になります。did not の後は、いつも動詞の原形です。

You were free.　He played soccer.
You were not free.　He did not play soccer.

❸ 疑問文

be 動詞のときは、Was, Were を文の最初において、最後に？をつけます。
一般動詞のときは、Did を文の最初において、動詞を元の形に戻します。

He was busy yesterday.　You played soccer.
Was he busy yesterday?　Did you play soccer?

過去進行形の疑問文は be 動詞を使うので Was, Were が文の最初にくるのでしたね。

He was swimming at that time.
Was he swimming at that time?

❹ 天候・時間を表す it も使い方は同じです。

It rained yesterday.　It did not rain yesterday.
It was raining at that time.　It was not raining at that time.
Was it raining at that time?　Did it rain yesterday?

3章

いろいろな時制

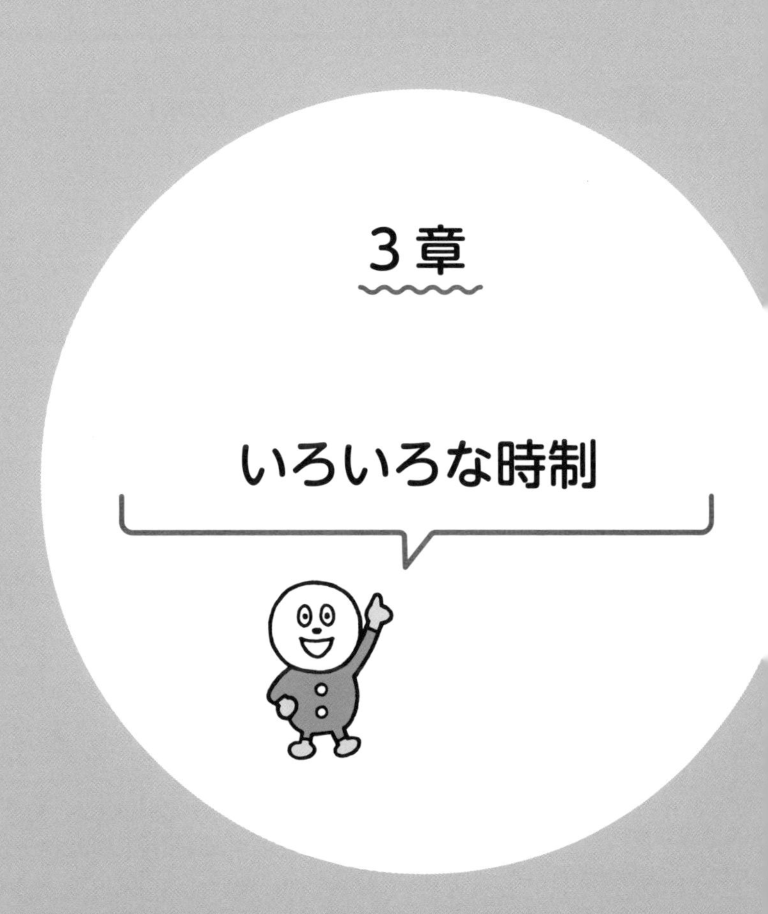

1 未来を表す「be going to ～」

「～するつもりです」

基本例文　I am going to play soccer tomorrow.

I am	going to	play soccer	tomorrow.
You are		meet Mary	
He / She is		make a cake	
		visit Osaka	
		stay at a hotel	

ポイント　<be going to ＋ 動詞の原形>「～するつもりです」〔予定〕

toの後ろは動詞の形は変わりません。

解説

＜現在の文＞　I play soccer every day.

＜過去の文＞　I played soccer yesterday.

＜未来の文＞　I am going to play soccer tomorrow.

be going toは、事前に決まっている予定や計画、しようとしていることを言うときに使います。

「～するつもりです」と未来を表すときには、注意点は2つです。

＜ be going to ＋ 動詞の原形＞

① be動詞は主語によってam, is, areを使い分けます。

② toの後は動詞の原形です。

A：What are you going to do tomorrow?（あなたは明日、何をするつもりですか？）

B：I'm going to do my homework.　（私は宿題をするつもりです。）

＼＼これだけは覚えよう／／

・I am going to ～. 「私は～するつもりです」

私は明日、サッカーをするつもりです。

私は	明日	サッカーをする	つもりです。
あなたは		メアリーに会う	
彼は		ケーキを作る	
彼女は		大阪を訪れる	
		ホテルに泊まる	

表現を増やそう

□ play soccer	サッカーをする	□ tomorrow	明日
□ meet Mary	メアリーに会う	□ next week	来週
□ make a cake	ケーキを作る	□ next month	来月
□ visit Osaka	大阪を訪れる	□ next year	来年
□ stay at a hotel	ホテルに泊まる	□ this summer	今年の夏

豆知識

be going to は「事前に決まっている予定や計画」などを言うときに使います。

A：What are you going to do on Sunday?

（あなたは日曜日に何をするつもりですか？）

B：I'm going to go fishing with my friends.

（私は友達と釣りに行くつもりです。）

2　未来を表す「be not going to ～」
「～するつもりはありません」

基本例文 I am not going to play tennis tomorrow.

I am	not going to	play tennis	tomorrow.
You are		leave	
He / She is		visit Osaka	
		study math	
		watch TV	

ポイント <be 動詞 ＋ not going to ＋ 動詞の原形>

「～するつもりはありません」

be going to の否定文は、be 動詞 (am, is, are) の後ろに not をおくだけです。

解説

<否定文>　I am not going to play tennis tomorrow.

（私は明日、テニスをするつもりはありません。）

<疑問文>　be 動詞で始めれば「～するつもりですか？」と Yes, No をたずねる疑問文になります。be 動詞は主語に合わせて使い分けます。

肯定文　He is going to play tennis tomorrow.

↓

疑問文　Is he going to play tennis tomorrow?

疑問文は主語の前に be 動詞、答えるときも be 動詞です。

答え方　Yes, he is.　（はい、そのつもりです。）

No, he is not (isn't).　（いいえ、そのつもりはありません。）

\\ これだけは覚えよう //

・I am not going to ～ .

「私は～するつもりはありません」

私は明日、テニスをするつもりはありません。

私は あなたは 彼は 彼女は	明日	テニスをする 出発する 大阪を訪れる 数学を勉強する テレビを見る	つもりはありません。

表現を増やそう

□ play soccer	サッカーをする	□ tomorrow	明日
□ leave	出発する	□ tomorrow morning	明日の朝
□ visit Osaka	大阪を訪れる	□ next week	来週
□ study math	数学を勉強する	□ next Sunday	今度の日曜日
□ watch TV	テレビを見る	□ this winter	今年の冬

豆知識

主語が複数形のときは、be 動詞を are にします。

肯定文 They [are] going to leave tomorrow.

↓ （彼らは明日、出発するつもりです。）

疑問文 [Are] they going to leave tomorrow?

（彼らは明日、出発するつもりですか？）

答え方 Yes, they are. （はい、そのつもりです。）

No, they are not(aren't). （いいえ、そのつもりはありません。）

3　未来を表す「will ～」
「～するつもりです」「～するでしょう」

基本例文　I will call John later.

I You He She	will	call John see the movie buy a new bag bring a camera get up early	tomorrow.

ポイント　<will ＋ 動詞の原形>

「～するつもりです」「～するでしょう」

will は主語によって形を変えず、後ろの動詞はいつも原形です。

解説

未来を表す、もう一つの言い方についてお話しします。will は「～するつもりです」という意志、「～でしょう」という予測を表します。will は主語によって形は変わりません。

I will call you later.
（私はあとで、あなたに電話するつもりです。）
＊ will は、その場で決めたことを表します。

会話では短縮形をよく使います。
I will → I'll
You will → You'll
He will → He'll
She will → She'll

ここが違う！

＊ be going to は、事前に決まっている予定や計画を表します。
I am going to see the movie tomorrow.
（私は明日、映画を見に行くつもり（予定）です。）

\\ これだけは覚えよう //

・I will + 動詞の原形〜．「私は〜するつもりです」
「私は〜するでしょう」

私は後で、ジョンに電話するつもりです。

私は あなたは 彼は 彼女は	明日	ジョンに電話する 映画を見る 新しいかばんを買う カメラを持って来る 早く起きる	つもりです。

表現を増やそう

□call John	ジョンに電話をする	□later	あとで
□see a movie	映画を見る	□this afternoon	今日の午後
□buy a new bag	新しいかばんを買う	□this evening	今夜
□tomorrow morning	明日の朝	□tomorrow	明日
□bring a camera	カメラを持って来る	□next week	来週
□get up early	早く起きる		

豆知識

will（〜するつもりです）〔意志〕・（〜でしょう / きっと〜ですよ）〔予測〕
その場の思いを伝えるときは will を使います。

〔意志〕I will go with you.　（私はあなたと一緒に行くつもりです。）

〔予測〕He will be a good actor.　（彼は（きっと）いい役者になりますよ。）
She will come to the party.　（彼女はパーティーに来るでしょう。）

4 未来を表す「will not ～」

「～するつもりはありません」「～しないでしょう」

基本例文 I will not use this bike today.

I You He She	will not	use this bike go shopping make a cake cook dinner help Bob	tomorrow.

ポイント <will not + 動詞の原形>

「～するつもりはありません」「～しないでしょう」

will の否定文は、will の後ろに not をおくだけです。

解説

<否定文>

I will not use this bike today.（私は今日、この自転車を使うつもりはありません。）

(won't)

will not の短縮形の won't もよく使われます。

<疑問文>

Will で始めれば「～するつもりですか？」「～するでしょうか？」と Yes, No をたずねる疑問文になります。

肯定文 He will use this bike today.（彼は今日、この自転車を使うつもりです。）

↓

疑問文 Will he use this bike today?

答え方 Yes, he will.　（はい、そのつもりです。）

No, he won't.　（いいえ、そのつもりはありません。）

Will ～？でたずねて、will を使って答えます。

\\これだけは覚えよう//

・I will not + 動詞の原形～.「私は～するつもりはありません」
「私は～しないでしょう」

私は今日、この自転車を使うつもりはありません。

私は あなたは 彼は 彼女は	明日	この自転車を使う 買い物へ行く ケーキを作る 夕食を作る ボブを手伝う	つもりは ありません。

表現を増やそう

□ use this bike	この自転車を使う	□ today	今日
□ go shopping	買い物へ行く	□ later	あとで
□ make a cake	ケーキを作る	□ tonight	今夜
□ cook dinner	夕食を作る	□ tomorrow	明日
□ help Bob	ボブを手伝う	□ next month	来月

豆知識

天気予報では…「明日は、雨が降るでしょう。」

天候を表すときはItを主語にします。

肯定文 It will rain tomorrow. （明日、雨が降るでしょう。）

疑問文 Will it rain tomorrow? （明日、雨が降るでしょうか？）

答え方 Yes, it will. （はい、降るでしょう。）

No, it will not (won't). （いいえ、降らないでしょう。）

5　現在完了形

「ずっと〜です／〜したことがある／〜したところだ」

基本例文　I have been busy since yesterday.

I / You	have been busy since yesterday. have seen Tokyo Tower before. have just read this book.

ポイント　<have ＋ 過去分詞> 過去からつながる現在の状態や動作

現在完了形の意味は3種類です。

①ずっと〜している　②〜したことがある

③ちょうど〜したところだ

解説

ここでは「持っている」以外の意味の have についてお話します。

(1) ＜現在形＞　I am busy now.

(2) ＜過去形＞　I was busy yesterday.

(1) + (2) =「今、忙しい」、そして「昨日も忙しかった」

昨日忙しかった状態を今も「持っている」と考えましょう。

それが I have been busy.（ずっと忙しい）です。

「昨日から（今まで）」は、since を使って since yesterday とします。

(3) ＜現在完了形＞　I have been busy since yesterday.

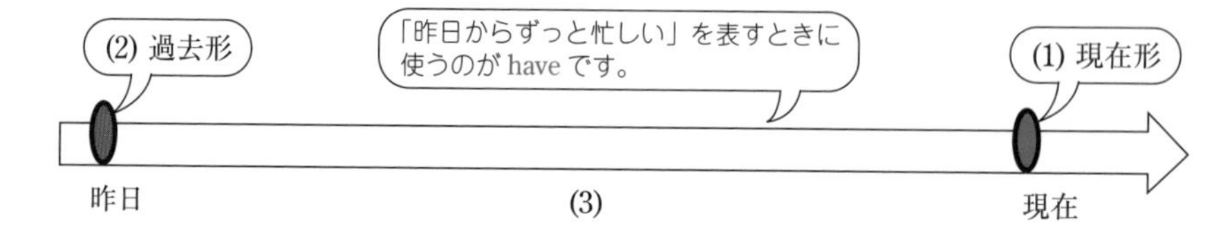

\\ これだけは覚えよう //

・I have ＋ 過去分詞 〜.

「私はずっと〜です／〜したことがあります／〜したところです」

私は昨日からずっと忙しいです。

私は	昨日から	ずっと忙しいです。
	以前、	東京タワーを見たことがあります。
あなたは	ちょうど	この本を読んだところです。

表現を増やそう ※一般動詞には、現在形、過去形、過去分詞形があります。

原形		過去形	過去分詞形
□ be (am, is, are)	〜にいる・ある	□ was, were	□ been
□ live	住んでいる	□ lived	□ lived
□ play	（運動など）をする	□ played	□ played
□ see	〜を見る	□ saw	□ seen
□ read	〜を読む	□ read	□ read

豆知識

<過去形>は、過去のある時点で、「〜した」を表します。
<過去分詞>は、過去の意味ではなく、通常、受け身「〜される」と現在完了形「〜した（という状態）」を表します。

特別な覚え方は、残念ながらありません。
でも、live-lived-lived のように、一息で５回連続で言ってみましょう。
リズムで覚えるのが近道です。

6　現在完了形〔経験〕

「～したことがあります」

基本例文　I have seen this movie before.

I You	have	seen this movie heard the story	before.
He She	has	visited the U.K. climbed Mt. Fuji	twice.

ポイント　＜have ＋ 過去分詞＞「～したことがある」〔経験〕

意味の取り方は “before” や “回数（～ times)” がヒントです。

解説

(1) ＜過去形＞　I saw this movie last month.

（私は先月、この映画を見ました。）

(2) ＜現在完了形＞　I have seen this movie before.

「(以前、この映画を見た）という状態を持っている」という自分の経験を表します。→「私は以前、この映画を見たことがあります。」となります。

＜経験＞を表すときによく使う表現

He / She が主語のときには、has にします。

He has been to Canada twice.（彼はカナダに２度、行ったことがあります。）

「(今までに）～に行ったことがある」は have (has) been to ～です。

注意　He has gone to Canada.（彼はカナダに行ってしまいました。）は、今はここにいないということです。

\\ これだけは覚えよう //

・I have ＋ 過去分詞 ～ .

「私は（今までに）～したことがあります」

私は以前、この映画を見たことがあります。

私は あなたは	以前	この映画を見たことがあります。 その話を聞いたことがあります。
彼は 彼女は	２度	イギリスを訪れたことがあります。 富士山に登ったことがあります。

表現を増やそう

原形		過去形	過去分詞形
□ see	～を見る	□ saw	□ seen
□ meet	～に会う	□ met	□ met
□ hear	～を聞く	□ heard	□ heard
□ visit	～を訪れる	□ visited	□ visited
□ climb	～を登る	□ climbed	□ climbed

知識

回数の表し方：３回以上は、~ times を使います。

１度	once
２度	twice
３度	three times
何度も	many times

現在完了形は、「過去のある時点」を表す語と一緒に使いません。

× I have seen the movie yesterday.

○ I saw the movie yesterday.　（私は昨日、映画を見ました）

7 現在完了形〔経験〕の否定文
「～したことがありません」

基本例文 I have not played tennis.

I You	have not	played tennis. seen Tokyo Tower. visited the zoo.
He She	has not	cooked curry. eaten Japanese food.

ポイント ＜have〔has〕not ＋ 過去分詞＞「～したことがない」〔経験〕
「経験」を表すときは、notの代わりにneverもよく使われます。

解説

「(今までに) ～したことがありません・～したことがありますか？」の「経験」を表す現在完了形の否定文・疑問文についてお話します。

＜否定文＞

have/hasの後ろにnotを入れるだけです。

I have not played tennis.

否定文のときは、
have not → haven't
has not → hasn't
という短縮形がよく使われます。

＜疑問文＞

Have / Hasで始めて、Have you ～？/ Has he ～？で表します。

肯定文 You have been to Tokyo.（あなたは東京に行ったことがあります。）

疑問文 Have you been to Tokyo?（あなたは東京に行ったことがありますか？）

答え方 Yes, I have.（はい、あります。）

No, I haven't.（いいえ、ありません。）

\\ これだけは覚えよう //

・I have not ＋ 過去分詞 〜 .
「私は（今までに）〜したことがありません」

私は（今までに）テニスをしたことがありません。

私は あなたは	テニスをしたことがありません。 東京タワーを見たことがありません。 動物園に行ったことがありません。
彼は 彼女は	カレーを作ったことがありません。 和食を食べたことがありません。

表現を増やそう

原形		過去形	過去分詞形
□ play	（運動など）をする	□ played	□ played
□ see	〜を見る	□ saw	□ seen
□ visit	〜を訪れる	□ visited	□ visited
□ cook	〜を作る	□ cooked	□ cooked
□ eat	〜を食べる	□ ate	□ eaten

豆知識

・never を使うと、「一度も〜したことがありません」になります。
I have never played tennis.（私はテニスを一度もしたことがありません。）

・「（今までに）〜したことがありますか？」は、Have you ever 〜？の形がよく使われます。ever は「今までに」という意味で、疑問文で使われます。
Have you ever been to Kobe？（あなたは今までに神戸へ行ったことがありますか？）

8 現在完了形〔完了・結果〕

「～したところだ」「～してしまった」

基本例文 I have just finished lunch.

I You	have	just	finished lunch. cleaned the living room. arrived at the station.
He She	has	already	read the book. washed the dishes.

ポイント <have〔has〕+ 過去分詞>「(ちょうど)～したところだ」

意味の取り方はjust（ちょうど）がヒントです。

解説

「ちょうど～したところだ」と言いたいときにも現在完了形を使います。just（ちょうど）やalready（すでに）などの語をヒントに意味をつかみましょう。ある出来事が起きた結果、現在どうなっているかを表すときに使います。

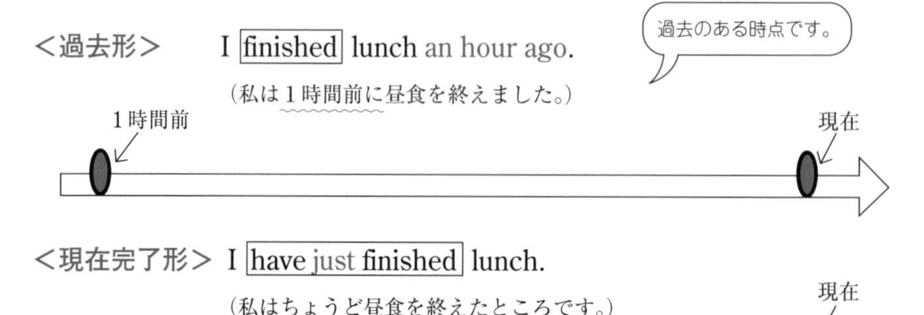
<過去形> I finished lunch an hour ago.
（私は1時間前に昼食を終えました。）
過去のある時点です。
1時間前
現在
<現在完了形> I have just finished lunch.
（私はちょうど昼食を終えたところです。）
現在
昼食中
ココ！

\\ これだけは覚えよう //

・I have just / already + 過去分詞 ～ .

「(ちょうど) ～したところだ」「(すでに) ～してしまった」

私はちょうど昼食を終えたところです。

私は あなたは	ちょうど	昼食を終えたところです。 居間を掃除したところです。 駅に着いたところです。
彼は 彼女は	すでに	その本を読んでしまいました。 食器を洗ってしまいました。

表現を増やそう

原形		過去形	過去分詞形
□ finish	～を終える	□ finished	□ finished
□ clean	～を掃除する	□ cleaned	□ cleaned
□ arrive	到着する	□ arrived	□ arrived
□ wash	～を洗う	□ washed	□ washed
□ read	～を読む	□ read	□ read

豆知識

A：Have you finished your homework yet?（もう宿題を終えたの？）

B：No, I haven't. [I will do it after dinner.]（まだ終わっていません。）

No, I haven't. の後に、「夕食後に（宿題を）するつもりです。」の1文を追加できるとよいですね。

9 現在完了形〔継続〕

「ずっと～しています」

基本例文 I have lived in Tokyo for two years.

I You	have	lived in Tokyo worked here	for two years.
He She	has	been busy been sick	since last week.

ポイント < have〔has〕＋ 過去分詞>「ずっと～している」〔継続〕

意味の取り方は文末の for / since がヒントです。

解説

「（今まで）ずっと～している」と言うときには現在完了形を使います。これは、過去に始まった動作や状態が今も続いていることを表します。

(1) I live in Tokyo now.　「現在東京に住んでいる」現時点での状態

(2) I lived in Tokyo two years ago.　「過去に住んだ」過去の時点での状態

(3) I have lived in Tokyo for two years.　「2年前に住んだ」だけではなく、「今も東京に住んでいる」、過去からつながる現在の状態を同時に伝えています。

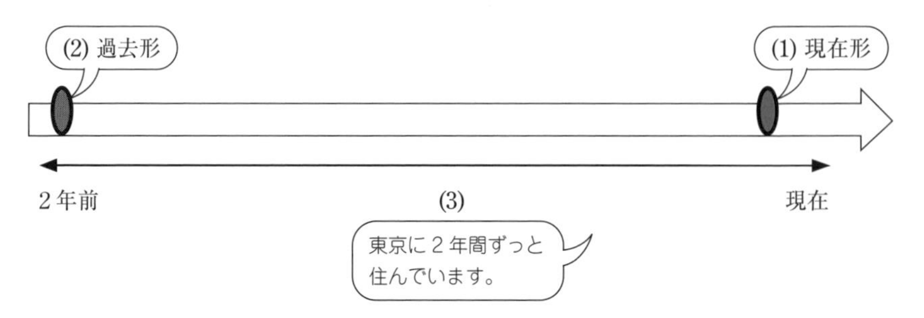

＼＼これだけは覚えよう／／

・I have ＋ 過去分詞～ .

「私は（今まで）ずっと～しています」

私は２年間、ずっと東京に住んでいます。

私は あなたは	２年間	ずっと東京に住んでいます。 ずっとここで働いています。
彼は 彼女は	先週から	ずっと忙しいです。 ずっと体調が悪いです。

表現を増やそう

原形		過去形	過去分詞形
□ live	住んでいる	□ lived	□ lived
□ work	働く	□ worked	□ worked
□ know	～を知っている	□ knew	□ known

豆知識

① 続いている期間の「長さ」を伝えるとき：for ～（～の間）

② 始まった時期が「いつ」なのかを伝えるとき：since ～（～以来）

① for ＋ 期間	② since ＋ 始まりの時期
for three days （３日間）	since yesterday（昨日から）
for a month （１ケ月間）	since last year （去年から）
for a long time（長い間）	since 2020 （2020 年から）

10 現在完了進行形

「今までずっと～しています」

基本例文 I have been studying since this morning.

I You	have	been studying been waiting here	since this morning.
He She	has	been talking been watching TV	for one hour.

ポイント ＜have〔has〕been ～ing＞

「今までずっと（ある動作を）～している」〔継続〕

意味の取り方は文末の for / since がヒントです。

解説

「今までずっと～しています」と言うときには2種類あります。

(1) ＜動作＞のとき

「歌う（sing）」「待つ（wait）」「読む（read）」など。

I am studying now.（私は今、勉強しています）

I [have been studying] since this morning.（私は今朝から勉強しています）

(2) ＜状態＞のとき（体の動作ではない）

「～である（be 動詞）」「住んでいる（live）」「知っている（know）」など。

I have known him for two years.（2年間ずっと彼を知っています。）

「～ている」の日本語に引っかからないように注意しよう。 →（彼と知り合って2年になります。）

[注意] 状態の動詞は have been ~ing の形はとれません。

＼これだけは覚えよう／

・I have been ～ ing.

「私は今までずっと～しています」

私は今朝からずっと勉強しています。

私は あなたは	今朝から	ずっと勉強しています。 ずっとここで待っています。
彼は 彼女は	1時間	ずっと話しています。 ずっとテレビを見ています。

表現を増やそう

原形		過去形	過去分詞形
□ sing	歌う	□ sang	□ sung
□ wait	待つ	□ waited	□ waited
□ talk	話す	□ talked	□ talked

豆知識

「どのくらい（の期間）」を疑問文で使ってみましょう。

A：Hi, Yuji. How long have you been waiting here?

（やあ、ユージ。どのくらいの期間、ここで待っているのですか？）

B：I have been waiting here since this morning.

（今朝からずっと、ここで待っています。）

時制（現在完了形と未来表現）のまとめ

❶ 現在完了形のまとめ

(1) 経験「(これまでに) ～したことがある」

I have been to London three times.

（私は、3回ロンドンに行ったことがあります。）

(2) 継続「ずっと～している」

I have lived in Tokyo for three years.

（私は、3年間ずっと東京に住んでいます。）

(3) 完了「(ちょうど) ～したところだ」

I have just finished lunch.

（私はちょうど昼食を終えたところです。）

現在完了形は、過去から今につながる現在の動作や状態を表します。

細かな用法の名前は覚える必要はありませんが、次の表にある語句がよく使われますので、(1)「これまで**～したことがある**」、(2)「ずっと**～している**」、(3)「ちょうど**～したところだ**」などの意味を考えるときのヒントにしましょう。

経験	完了・結果	継続
once（1回） twice（2回） three times（3回） never（一度も～ない） *ever（今までに）	just（ちょうど） already（すでに） yet（まだ）	for + 期間を表す語句 （～の間） since + 始まりを表す語句 （～から、～以来）

疑問文 Have you ever been to America?

（今までに、アメリカに行ったことがありますか？）

答え方 Yes, I have.　（はい、あります。）

No, I haven't.　（いいえ、ありません。）

❷ 未来表現と疑問詞の合わせ技

(1)「何をするつもりですか。」の疑問文

「何？」とたずねるときは、疑問詞 What で始めますね。

「明日、あなたは何をするつもりですか？」を英語で表してみましょう。

You are going to do 何か tomorrow.（あなたは明日、何かをするつもりです。）

何かを聞きたいので、What を文の最初におきます。

↓

What are you going to do tomorrow?

○ 疑問詞は文の最初

○ be 動詞の疑問文の語順

A: What are you going to do tomorrow?

（あなたは明日、何をするつもりですか？）

B: I'm going to play soccer tomorrow.

（私は明日サッカーをするつもりです。）

What の他に、When（いつ）, Where（どこで）, How long（どの位の期間）, What time（何時）などを使って、いろいろなことをたずねることができます。

(2) When are you going to study?

（いつ、あなたは勉強をするつもりですか？）

(3) Where are you going to meet him?

（どこで、あなたは彼に会うつもりですか？）

(4) How long are you going to stay?

（どのくらいの期間、あなたは滞在する予定ですか？）

(5) What time are you going to get up tomorrow?

（何時に、あなたは明日起きるつもりですか？）

4章

助動詞

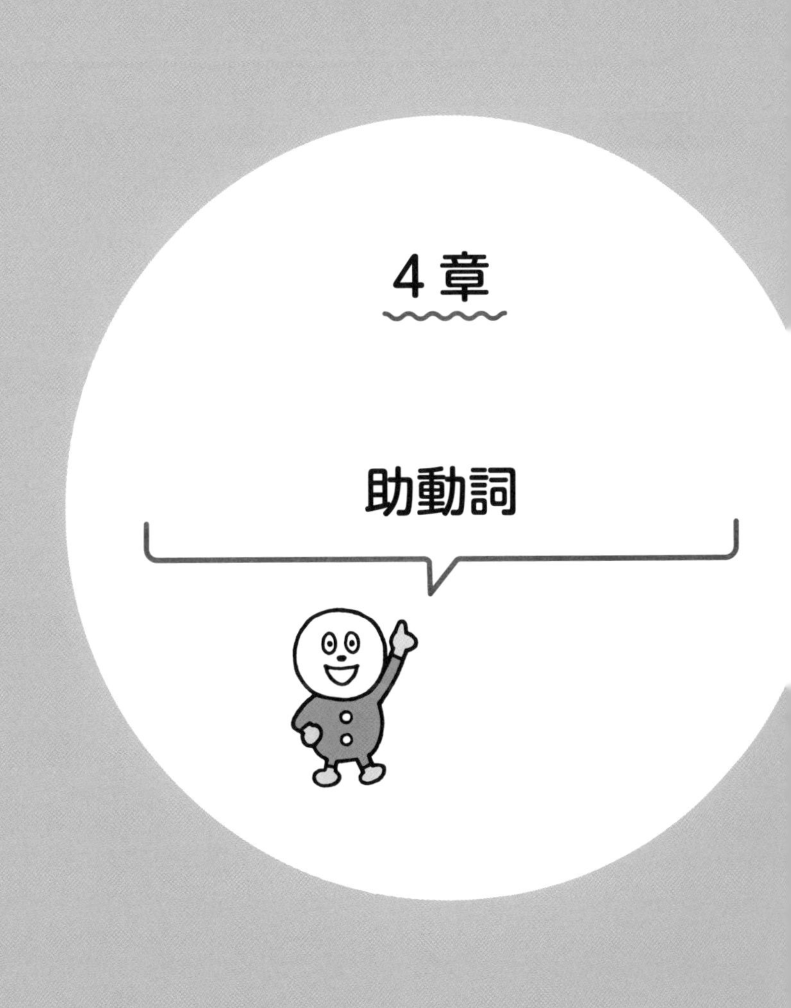

1 can の文
「〜できます」

基本例文 I can play soccer.

I You He She	can can't	run fast. sing well. play soccer. drive a car. eat spicy food.

ポイント ＜can ＋動詞の原形＞「〜できます」

助動詞の後ろは、必ず動詞の原形です。

解説

canは「サッカーをすることができる」「英語を話すことができる」などのように、「〜できる」というときに使います。

I play soccer. （私はサッカーをします。）
I can play soccer. （私はサッカーをすることができます。）

He plays soccer. （彼はサッカーをします。）
He can play soccer. （彼はサッカーをすることができます。）

canの後の動詞は、主語が何であっても原形です。主語がHe, Sheなど3人称単数のときも、動詞にs/esをつけません。canも形は変わりません。主語が何でも、canのあとの動詞は原形です。

＊canのように、動詞の前において、動詞の意味を助ける語を**助動詞**といいます。

＼＼これだけは覚えよう／／

· I can ～ .　「私は～できます」
· I can't ～ .　「私は～できません」

私はサッカーをすることができます。

私は	速く走ることが	できます。
あなたは	上手に歌うことが	できません。
彼は	サッカーをすることが	
彼女は	車を運転することが	
	辛い食べ物を食べることが	

表現を増やそう

- □ run fast 速く走る
- □ sing well 上手に歌う
- □ play soccer サッカーをする
- □ drive a car 車を運転する
- □ eat spicy food 辛い食べ物を食べる
- □ save money お金を貯める
- □ get a taxi タクシーを拾う
- □ buy a ticket チケットを買う
- □ order 注文する
- □ ride a bike 自転車に乗る

豆知識

否定文は、can の後に not をつけて、cannot で表します。

<cannot ＋動詞の原形>「～できません」

I cannot eat anymore.　（私はこれ以上、食べることができません。）

会話では、ふつう can't を使います。

2 canの疑問文（1）可能
「～できますか？」

基本例文　Can you play the guitar?

Can	you he she	imagine? swim well? play the guitar? believe this story? come to the party tonight?

ポイント　<Can you ～？>「あなたは～できますか？」

can の文では、動詞は“いつも”原形です。

解説

「～できますか？」と、たずねるときには、can を文の最初におきます。Can you ～?(あなたは～できますか？)、Can he ～?(彼は～できますか？)となります。

肯定文	You can play the guitar.	(あなたはギターを弾くことができます。)
疑問文	Can you play the guitar?	(ギターを弾くことができますか？)
答え方	Yes, I can. / No, I can't.	(はい、できます。／いいえ、できません。)

肯定文	He can swim well.	(彼は上手に泳ぐことができます。)
疑問文	Can he swim well?	(彼は上手に泳ぐことができますか？)
答え方	Yes, he can. / No, he can't.	(はい、できます。／いいえ、できません。)

＊答えるときも can を使います。

\\ これだけは覚えよう //

・Can you ～？　「あなたは～できますか？」
・Can he / she ～？　「彼／彼女は～できますか？」

あなたはギターを弾くことができますか？

あなたは	想像することができますか？
	上手に泳ぐことができますか？
彼は	ギターを弾くことができますか？
	この話を信じることができますか？
彼女は	今夜、パーティに来ることができますか？

表現を増やそう

□ imagine	想像する	□ get a day off	一日休みを取る
□ swim well	上手に泳ぐ	□ solve math problems	数学の問題を解く
□ play the guitar	ギターを弾く	□ go alone	ひとりで行く
□ believe his story	彼の話を信じる	□ hear my voice	私の声を聞く
□ speak Korean	韓国語を話す	□ dance well	上手に踊る

豆知識

「日本語を話しますか？／話せますか？」

(1) Do you speak Japanese?　「あなたは（日常的に）日本語を話しますか？」

(2) Can you speak Japanese?　「あなたは（能力的に）日本語を話せますか？」

言語について話せるかどうかを聞くときは、(1) のほうが直接的ではなく、やわらかい聞き方となるので (1) のほうがよいです。

3 canの疑問文（2）許可
「〜してもいいですか？」

基本例文　Can I take a picture?

Can I	take a picture? use your pen? read your comic book? turn on the light? go to Joe's house?

ポイント　<Can I 〜?>「(私が) 〜してもいいですか？」

Can I ~? で、相手に許可を求めます。

解説

Can I 〜？は「私は〜できますか？」とたずねる文ですが、「(私が) 〜してもよいですか？」とお願いをする（許可を求める）ときに使います。「〜してもよい」の意味をもつ may も同じように使うことができます。

＜許可を求める＞　Can I take a picture?　（写真を撮ってもよいですか？）
May I take a picture?　（写真を撮ってもよいですか？）

Can I 〜? (May I 〜?) に対する答え方の例

＜許可するとき＞		＜許可しないとき＞	
Sure.	もちろん。	I'm sorry, 〜（理由）	すみません、〜
All right.	いいですよ。		
No problem.	かまいません。		

これだけは覚えよう

・Can I ～？　「（私が）～してもいいですか？」

（私が）写真を撮ってもいいですか？

（私が）	写真を撮ってもいいですか？
	あなたのペンを使ってもいいですか？
	あなたのマンガを読んでもいいですか？
	明かりをつけてもいいですか？
	ジョーの家に行ってもいいですか？

表現を増やそう

□ take a picture	写真を撮る
□ use your pen	あなたのペンを使う
□ read your comic book	あなたのマンガを読む
□ turn on a light	明かりをつける
□ go to his house	彼の家に行く
□ enter the room	部屋に入る
□ talk to you	あなたに話しかける

豆知識

気になる違い

「あなたのペンを使ってもいいですか？」

（1） May I use your pen?

（2） Can I use your pen?

May I ～？は Can I ～？よりも丁寧な表現で、目上の人にも使えます。

4　can の疑問文（3）依頼

「～してくれますか？」

基本例文　Can you open the door?

Can you	help me? call a taxi? come here? wait here? say it again?

ポイント　<Can you ～?>「(あなたが)～してくれますか？」〔依頼〕

Can you ～？で、相手にお願いをします。

解説

Can you ～？は「あなたは～できますか？」とたずねる文ですが、「～してくれますか？」と何か依頼するときにも使います。

依　頼	Can you open the door?	（ドアを開けてくれますか？）
答え方	Sure.	（もちろんです。）

Can you ～? (Could you ～?) に対する答え方の例

＜引き受けるとき＞		＜断るとき＞	
Sure.	もちろん。	I'm sorry, ～（理由）	すみません、～
All right.	いいですよ。		
No problem.	かまいません。		

＼これだけは覚えよう／

・Can you ～？　「(あなたが) ～してくれますか？」

（あなたが）ドアを開けてくれますか？（開けてくれない？）

（あなたが）	私を手伝ってくれますか？ タクシーを呼んでくれますか？ ここに来てくれますか？ ここで待ってくれますか？ もう一度それを言ってくれますか？

表現を増やそう

□ help me　私を手伝う
□ call a taxi　タクシーを呼ぶ
□ come here　ここに来る
□ wait here　ここで待つ
□ say it again　それをもう一度言う
□ call me at six　6時に私に電話する
□ come with me　私と一緒に来る
□ turn off the light　明かりを消す
□ go shopping　買い物に行く
□ do that　それをする

豆知識

Can you ～？は「～してくれる？」という気軽な言い方です。初対面の人や目上の人へは Could you ～？を使うと、「～してくださいますか？」と、より丁寧な頼み方になります。

（1）Can you help me?　（手伝ってくれる？）
（2）Could you (please) help me?　（手伝っていただけますか？）

5 will の疑問文〔依頼〕

「～してくれますか？」

基本例文 Will you close the window?

Will you	wait here?
	close the window?
	wash the dishes?
	make lunch for me?
	call me tomorrow?

ポイント　<Will you ～?>「(あなたが)～してくれますか？」〔提案・依頼〕

Can you ～？とほぼ同じ意味です。

解説

Will you ～？は単なる「未来」のことをたずねるときのほかに、「～してくれますか？」「～しませんか？」と相手に何かを提案したり、依頼するときにも使います。

依　頼　Will you close the window?

答え方　Sure.

Will you ～？は「～してもらえる？」のように、相手にしてもらうことが前提になってしまうので、Can you ～？が無難です。

Will you ～？/ Would you ～？に対する答え方の例

＜引き受けるとき＞		＜断るとき＞	
Sure.	どうぞ。	I'm sorry, ～（理由）	すみません、～
All right.	いいですよ。		
No problem.	かまいません。		

\\ これだけは覚えよう //

・Will you ～？　「(あなたが) ～してくれますか？」

(あなたが) 窓を閉めてくれますか？

(あなたが)	ここで待っていてくれますか？
	窓を閉めてくれますか？
	お皿を洗ってくれますか？
	私に昼食を作ってくれますか？
	明日、私に電話してくれますか？

表現を増やそう

- □ wait here　ここで待つ
- □ close the window　窓を閉める
- □ wash the dishes　お皿を洗う
- □ make lunch　昼食を作る
- □ call me　私に電話する
- □ clear the table　テーブルを片づける
- □ come with us　私たちと一緒に来る
- □ speak more slowly　もっとゆっくり話す

豆知識

Will you ～？は、「～してもらえますか？」、Would you ～？を使うと、「～してくださいますか？」と、より丁寧な頼み方になります。

(1) Will you open the window?　(窓を開けてくれる？)

(2) Would you (please) open the window?　(窓を開けていただけますか？)

6 Shall I ～？ Shall we ～？

「～しましょうか？」

基本例文 Shall I open the window?

Shall I	help you? carry your bag? take a picture? open the window? call you later?

ポイント ＜Shall I ～?＞「(私が) ～しましょうか？」〔申し出〕

Shall we ～？は Let's ～とほぼ同じ意味で使います。相手の意志や気持ちをたずねるときに使います。

解説

(1) **Shall I ～？**は「(私が) ～しましょうか？」と申し出るときに使います。

申し出 Shall I open the window?（窓を開けましょうか？）

答え方 Yes, please.（はい、お願いします。）

No, thank you.（いいえ、結構です。）

(2) **Shall we ～？**は「(一緒に) ～しましょうか？」と相手と一緒に何かをしようと誘ったり、提案したりするときに使います。

提　案 Shall we have lunch now?

（昼食を今食べましょうか？）

Shall we ～？は、Let's ～とほぼ同じ意味で使います。

答え方 Yes, let's.（はい、そうしましょう。）

No, let's not.（いいえ、やめましょう。）

\\ これだけは覚えよう //

- Shall I ～？　「（私が）～しましょうか？」
- Shall we ～？　「（一緒に）～しましょうか？」

（私が）窓を開けましょうか？

（私が）	あなたを手伝いましょうか？ あなたのカバンを運びましょうか？ 写真を撮りましょうか？ 窓を開けましょうか？ あとであなたに電話しましょうか？

表現を増やそう

□ help you	あなたを手伝う
□ carry your bag	あなたのカバンを運ぶ
□ take a picture	写真を撮る
□ open the window	窓を開ける
□ call you	あなたに電話する
□ wash dishes	お皿を洗う
□ close the door	ドアを閉める
□ clean the room	部屋を掃除する

豆知識

「～しましょうか？」は、相手の気持ちを尊重して、Do you want me to ~?「あなたは私に～してほしいですか？」で表すこともできます。

Do you want me to close the window?（あなたは私に窓を閉めてほしいですか？）

4章 助動詞

7 have to ～
「～しなければならない」

基本例文　I have to go shopping.

I You	have to	go shopping. get up early. have breakfast. go to bed before ten. study English every day.
He She	has to	

ポイント　<have〔has〕to ＋動詞の原形>「～しなければならない」

have to［ハフトゥ］は２語でセットです。

解説

have to は、何か事情があって、「しなくてはいけないこと」を伝える言い方です。話しことばで使われることが多いです。

I have to go shopping.　（私は買い物に行かなければなりません。）

have to は、主語が He / She などの３人称単数のときは has to になります。
She has to go shopping.　（彼女は買い物に行かなければなりません。）

have to/ has to の後ろは、いつも動詞の原形です。

発音に注意。
have to は「ハフトゥ」
has to「ハストゥ」

\\ これだけは覚えよう //

- I have to ～.　「私は～しなければなりません」
- He / She has to ～.　「彼／彼女は～しなければなりません」

私は買い物に行かなければなりません。

私は あなたは 彼は 彼女は	買い物に行かなければなりません。 早く起きなければなりません。 朝食を食べなければなりません。 10時前に寝なければなりません。 毎日、英語を勉強しなければなりません。

表現を増やそう

□ go shopping	買い物に行く
□ get up early	早く起きる
□ have breakfast	朝食を食べる
□ go to bed	寝る
□ study English	英語を勉強する
□ hurry up	急ぐ
□ take a rest	休む
□ cook breakfast	朝食を料理する

豆知識

haveの意味は「持っている」です。後ろの「to (do)」は「～すること」を表す不定詞（5章）なので、have to ～を直訳すると「～することを持っている」になります。「（するべきことを持っているのだから）しなければならない」という意味になります。

8 have to ～ の否定文

「～する必要はありません」

基本例文 You don't have to wait here.

I You	don't have to	wait here. catch the next bus. join the meeting. leave right now. get to the station by 8:00.
He She	doesn't have to	

ポイント <don't / doesn't + have to ＋動詞の原形>

「～する必要はありません」

have to［ハフトゥ］は２語でセットです。

解説

have to の否定文は、その前に don't をおきます。主語が３人称単数のときは、doesn't にして、後に続くのは have to です。

肯定文	You have to wait here.	He has to wait here.
否定文	You don't have to wait here.	He doesn't have to wait here.

疑問文は、一般動詞のときと同じ作り方です。

肯定文	You have to wait here.	She has to wait here.
疑問文	Do you have to wait here?	Does she have to wait here?
答え方	Yes, I do. / No, I don't.	Yes, she does. / No, she doesn't.

\\ これだけは覚えよう //

- **I don't have to ～.** 「私は～する必要はありません」
- **He / She doesn't have to ～.** 「彼／彼女は～する必要はありません」

あなたはここで待つ必要はありません。

私は あなたは	ここで待つ 次のバスに乗る 会議に参加する	必要はありません。
彼は 彼女は	すぐに出発する 8時までに駅に着く	

表現を増やそう

□ wait here	ここで待つ
□ catch the next bus	次のバスに乗る
□ join the meeting	会議に参加する
□ leave	出発する
□ get to the station	駅に着く
□ by 8:00	8時までに
□ right now	すぐに
□ tomorrow	明日
□ the day after tomorrow	あさって

豆知識

don't + have to「～ない＋するべきことを持っている」で、「するべきことを持っていない」。するべきことを持っていなければ、don't have to で「～する必要はない」という意味になります。

9 must ～
「～しなければならない」

基本例文 I must get up early tomorrow.

I You He She	must	get up come home	early.
		exercise go to the bank	today.

ポイント　<must ＋動詞の原形>「～しなければならない」

must は主語が何でもいつも同じ形です。

解説

肯定文　You must get up early tomorrow.
（あなたは明日、早起きしなければなりません。）

否定文は、must not / mustn't で表し、「～してはいけません」という禁止の意味を表します。

must not は don't have to ～とは、まったく意味が違います。

(1) must not

You must not ＋ go out alone　（一人で外出してはいけません）
（あなたは～してはいけない）＋（一人で外出する）

(2) don't have to

You don't have ＋ to watch TV（テレビを見る必要はありません）
（あなたは持っていない）＋（テレビを見ることを）

\\ これだけは覚えよう //

- **I must ～ .** 「私は～しなければなりません」
- **He / She must ～ .** 「彼／彼女は～しなければなりません」

私は明日、早く起きなければなりません。

私は あなたは	早く	起きなければなりません。 家に帰って来なければなりません。
彼は 彼女は	今日	運動しなければなりません。 銀行へ行かなければなりません。

表現を増やそう

- □ get up 起きる
- □ come home 家に帰る
- □ exercise 運動する
- □ go to the bank 銀行に行く
- □ speak English 英語を話す
- □ get some sleep 少し眠る
- □ follow the rules 規則を守る
- □ study hard 熱心に勉強する
- □ save energy 節電する
- □ stay home 家にいる

豆知識

注意

You must not watch TV. ≠ You don't have to watch TV.

（テレビを見てはいけません。） （テレビを見る必要はありません。）

must not は禁止、don't have to は不必要を表します。

10 should ～
「～すべきです」

基本例文　You should stay home today.

You He She	should	stay home today. buy the ticket. have a good rest. take medicine. watch this video.

ポイント　<should ＋動詞の原形>「～すべきです」

should は、主語が何でも、いつも同じ形です。

解説

should は「～すべきです」と、軽い義務、または「～したほうがよい」と、相手に軽い気持ちで提案したり、アドバイスをしたりするときに使います。should の後も動詞の原形です。

肯定文　She should play tennis every day.
（彼女は毎日テニスをすべきです。）

否定文　She should not play tennis every day.
（彼女は毎日テニスをすべきではありません。）

否定形では shouldn't と短縮されることが多いです。

肯定文は「彼女は毎日テニスの練習をしていないから、するほうがいいよ」と提案したり、アドバイスをする内容です。

否定文は「～するべきではない」という意味です。

\\これだけは覚えよう//

・You should ～. 「あなたは～すべきです」
・He / She should ～. 「彼／彼女は～すべきです」

あなたは今日、家にいるべきです。

あなたは	今日、家にいるべきです。
	そのチケットを買うべきです。
彼は	ゆっくり休憩をとるべきです。
	薬を飲むべきです。
彼女は	この動画を見るべきです。

表現を増やそう

- □ stay home　家にいる
- □ buy the ticket　そのチケットを買う
- □ have a good rest　ゆっくり休む
- □ take medicine　薬を飲む
- □ watch this video　この動画を見る
- □ go to the dentist　歯医者に行く
- □ stay in bed　ベッドで休む
- □ wear a mask　マスクをする
- □ drink a lot of water　水をたくさん飲む

豆知識

疑問形の語順は「should ＋主語＋動詞の原形～」の前にWhatをおくと、What should I do here?（ここで私は何をすればよいでしょうか？）と表せます。

助動詞のまとめ

次の助動詞は、2つの意味をセットで読むと覚えやすくなります。

must	～しなければならない、～に違いない
will	～するつもりです、～でしょう
may	～してもよい、～かもしれない
can't	～できない、～はずがない

❶「自分の気持ち・やる気」を表す助動詞

I must cook today.	(私は今日、料理しなければならない。)
I will cook today.	(私は今日、料理するつもりです。)
I may cook today.	(私は今日、料理するかもしれない。)
I can't cook today.	(私は今日、料理することができない。)

❷「可能性」を表す助動詞

「～に違いない」の must
He must be busy. (彼は忙しいに違いない。)
「～でしょう」の will
He will be busy. (彼は忙しいでしょう。)
「～かもしれない」の may
He may be busy. (彼は忙しいかもしれない。)
「～はずがない」の can't
He can't be busy. (彼は忙しいはずがない。)

be 動詞 + 形容詞が「～に違いない」「～はずがない」になっています。

丁寧さのランキング

①	Would you ～?	=	丁寧な依頼
②	Could you ～?	=	丁寧な依頼
③	Will you ～?	=	カジュアルな依頼
④	Can you ～?	=	カジュアルな依頼

❸「丁寧さ」を表す助動詞

相手に何かを頼むとき

(1) 窓を開けてもらえませんか？

Can you open the window?

Will you open the window?

(2) 窓を開けていただけませんか？

Could you open the window?

Would you open the window?

Can you ～？は
「親しい人にものを頼むとき」
Will you ～？は、
「先生が生徒に～してくれる？」
のように使うことが多いです。

引き受けるとき		断るとき	
Sure.	(どうぞ。)	I'm sorry, ～ (理由)	(すみません、～)
All right.	(いいですよ。)		

特に(2)は、目上の人や初対面の人に向かって使う、丁寧な依頼の表現です。

時制をcan → could, will → wouldに変える理由は？
人との心理的な距離を示すために、時制を過去にします。

ここだけの話

Can you ～？は「～してくれますか？」と頼んでいます。

Can I ～？は「～してもいいですか？」と許可を求めています。

どちらも「○○できますか？」の意味でも使えます。

❹ 自分がしてもよいのか、相手の許可を得たいとき

(1) (私が) 窓を開けてもよいですか？

Can I open the window?

May I open the window?

相手の代わりに、自分が「～しましょうか？」とたずねるとき

(2) (私が) 窓を開けましょうか？

Shall I open the window?

(3) (一緒に) 昼食を食べませんか？

Shall we have lunch?

5章

不定詞・動名詞・分詞

1 不定詞・名詞的用法（1）

「～すること」

基本例文 I like to play soccer.

I	like plan	to play soccer. to buy a bike.
He She	wants decided	to write a letter. to get up early.
You	don't need	to call John.

ポイント　＜to ＋動詞の原形＞「～すること」

＜ to do ＞を後ろに取ることができる動詞は決まっています。

解説

＜ to ＋動詞の原形（不定詞と呼びます）＞は、文中では大きく分けて3つの用法で使われます。今回は「～すること」についてお話します。

(1) I like.（私は好きです。）

次に、この文に「何を」好きなのか、「～すること」になるように意味を追加します。例えば「サッカーをすること」です。

(2) play soccer（サッカーをする）の前に to をつけると、to play soccer になります。

(3) これを I like の後におきます。

不定詞は、「～すること」のほかに「～するために」「～するための」の意味でも使われます。

I like + to play soccer.

（私は好き）＋（サッカーをすること）→（私はサッカーをすることが好きです。）

これだけは覚えよう

- **I like to ～ .**　「私は～することが好きです」
- **He wants to ～ .**　「彼は～することを望んでいます」

私はサッカーをすることが好きです。

私は	サッカーをすること	が好きです。
	自転車を買うこと	を計画しています。
彼は	手紙を書くこと	を望んでいます。
彼女は	早く起きること	を決めました。
あなたは	ジョンに電話する	必要はありません。

表現を増やそう

＊ do は、ここでは「～する」の意味です。

- □ like to do　～することが好き
- □ plan to do　～することを計画する
- □ want to do　～したい
- □ decide to do　～することを決める
- □ need to do　～する必要がある
- □ try to do　～することを試す
- □ begin to do　～することを始める
- □ forget to do　～することを忘れる

知識

＜ to ＋動詞の原形＞は、主語が何であっても、過去の文でも、その形は変わりません。

He **likes** to play soccer . / She **liked** to play soccer .

不定詞の訳し方の基本は３つ。

(1)「～すること」（名詞的用法）　(2)「～するために」（副詞的用法）　(3)「～するための」（形容詞的用法）

2 不定詞・副詞的用法（1）

「～するために」

基本例文 I go to the park to play tennis.

I	go to the park got up early	to play tennis. to make breakfast.
He She	studies hard went to the library	to become a doctor. to study.
You	visited Kyoto	to see Mary.

ポイント <to ＋動詞の原形>「～するために」

< to do >で「～するために」という目的を表します。

解説

(1) I go to the park.（私は公園へ行きます。）
次に、この文に「何をするために行ったのか」を「～するために」になるように追加します。例えば「テニスをするために」と説明します。

(2) play tennis（テニスをする）の前に to をつけると、to play tennis になります。

(3) これを I go to the park の後におきます。

I go to the park ＋ to play tennis.
（私は公園へ行きます）＋（テニスをするために）
→（私はテニスをするために公園へ行きます。）

to play tennis で「テニスをするために」という目的を表します。

\\ これだけは覚えよう //

・to ～　「～するために」

私はテニスをするために公園へ行きます。

私は	テニスをするために 朝食を作るために	公園へ行きます。 早く起きました。
彼は 彼女は	医者になるために 勉強するために	熱心に勉強します。 図書館へ行きました。
あなたは	メアリーに会うために	京都を訪れました。

表現を増やそう

- □ to study　勉強するために
- □ to make breakfast　朝食を作るために
- □ to see Mary　メアリーに会うために
- □ to play tennis　テニスをするために
- □ to be a doctor　医者になるために
- □ to help John　ジョンを手伝うために
- □ to teach English　英語を教えるために
- □ to buy a racket　ラケットを買うために
- □ to watch TV　テレビを見るために
- □ to take pictures　写真を撮るために

豆知識

過去の文でも、< to + do >の形は変わりません。

I **went** to the library to study.（私は勉強するために図書館へ行きました。）

3 不定詞・形容詞的用法
「～するための」

基本例文 I want a magazine to read.

I	want a magazine	to read.
You	have a lot of things	to do today.
He	has many friends	to speak English.
She	had no money	to buy a book.
Mary	didn't have time	to watch TV.

ポイント ＜名詞＋to ＋動詞の原形＞

「～するための」・「～するべき」＋名詞

説明したい名詞の後ろに「to＋動詞の原形」をつけます。

解説

(1) I have a lot of homework today.（私は今日、たくさんの宿題があります。）

その「宿題」とは、どんな宿題でしょうか。例えば「今日、するべき宿題」と説明します。

(2) 名詞 homework の後ろに、それを説明する to do today を続けます。

(3) I have a lot of homework の後ろに、to do today をおきます。

I have a lot of homework ＋ to do today.

（私はたくさんの宿題があります）＋（今日、するべき）

→（私は今日、するべきたくさんの宿題があります。）

説明したい名詞の後ろに to をつけます。

これだけは覚えよう

・名詞＋ to ～　「～するための＋名詞」

私は読むべき雑誌がほしいです。

私は	読むべき	雑誌がほしいです。
あなたは	今日、すべき	たくさんのことがあります。
彼は	英語を話す	多くの友達がいます。
彼女は	本を買うための	お金がありませんでした。
メアリーは	テレビを見るための	時間がありませんでした。

5章

不定詞・動名詞・分詞

表現を増やそう

□ to read books　本を読むための
□ to do　すべき
□ to learn　学ぶべき
□ to write　書くべき
□ to play soccer　サッカーをするための
□ to eat　食べるための
□ to finish　終えるべき
□ to watch TV　テレビを見るための

豆知識

「私は何か飲むものがほしいです。」の表し方

I want something to drink.（飲むための何か：何か飲むものがほしいです。）

I want something to eat.　（食べるための何か：何か食べるものがほしいです。）

何か冷たい飲み物は　something cold to drink

何か温かい食べ物は　something hot to eat

「something＋形容詞」の語順を覚えよう。

4 不定詞・名詞的用法（2）
「～することは…です」

基本例文　It is important to read books.

It is	important fun dangerous	to read books. to see friends. to walk alone.
It is	hard for me easy for me	to get up early. to answer the question.

ポイント　<It is …（for 人）＋to ＋動詞の原形>

「（人にとって）～することは…です」

主語が長いときに、代わりにItを主語におきます。

解説

＜to ＋動詞の原形＞は「～することは…です」の文でも使います。

(1) To read books is important.（本を読むことは、大切です。）

主語が長いので、代わりにItを主語としておきます。

(2) It is important to read books.

Itは「それ」という意味ではありません。

「私にとって」と言うときには、toの前にfor meをおきます。

(3) It is important **for me** to read books.

（私にとって、本を読むことは大切です。）

(4) It is hard **for me** to get up early.

（私にとって、早起きすることは難しいです。）

for me （私にとって）
for you（あなたにとって）
for him（彼にとって）
for us （私たちにとって）
などをtoの前に入れます。

＼これだけは覚えよう／

- It is … to ～ .　「～することは…です」
- It is … for（人）to ～ .「（人にとって）～することは…です」

本を読むことは大切です。

本を読むことは	大切です。
友達に会うことは	楽しいです。
一人で歩くことは	危険です。
早く起きることは	私にとって難しいです。
その問題に答えることは	私にとって簡単です。

表現を増やそう

□ important	大切な	□ necessary	必要な
□ hard	難しい	□ difficult	難しい
□ easy	簡単な	□ sad	悲しい
□ fun	楽しい	□ good	よい
□ dangerous	危険な	□ interesting	おもしろい

豆知識

Nice to meet you. の表現

「はじめまして」の Nice to meet you. は、It is nice to meet you. の It is を省略した形です。「あなたに会うことはよいことです」がこの文の直訳です。これが「お会いできてうれしいです。」「はじめまして。」と訳されています。

5 不定詞・名詞的用法（3）

「（人に）～してほしい」

基本例文 I want him to come to the party.

I	want him don't want you	to come to the party. to turn off the TV.
He She	told me asked me	to open the window. to talk about my country.
Do you	want me	to close the window?

ポイント ＜want ＋人＋to ＋動詞の原形＞「人に～してほしい」

人に何かをしてほしいときに使う表現です。

解説

want の意味は「～をほしがる」なので「want 人 to do」の形で「人に～することをほしがる」→「（人）に～してほしい」という意味になります。

肯定文 I want him to close the door.　（彼にドアを閉めてほしいです。）

否定文 I don't want him to close the door .（彼にドアを閉めてほしくありません。）

疑問文 Do you want me to close the door?（私にドアを閉めてほしいですか？）

Do you want me to ～？は、気軽に「～しましょうか」と提案するときによく使われます。

他に、tell や ask を使った言い方があります。

＜ tell ＋人＋ to ＋動詞の原形＞「人に～するように言う」

He told me to open the door.（彼は私にドアを開けるように言いました。）

\\ これだけは覚えよう //

- **I want（人）to ～.** 「私は（人に）～してほしい」
- **He told（人）to ～.** 「彼は（人に）～するように言った」

私は彼にパーティーに来てほしいです。

私は	彼に	パーティーに来てほしいです。
	あなたに	テレビを消してほしくありません。
彼は	私に	窓を開けるように言いました。
彼女は	私に	私の国について話すように頼みました。
あなたは	私に	窓を閉めてほしいですか？

表現を増やそう

- □ to come to my party　私のパーティに来ること
- □ to turn off the TV　テレビを消すこと
- □ to close the window　窓を閉めること
- □ to open the window　窓を開けること
- □ to talk about my country　私の国について話すこと
- □ to take pictures　写真を撮ること
- □ to study hard　熱心に勉強すること
- □ to clean the room　部屋を掃除すること

豆知識

I want の代わりに I would like を使うと、丁寧な言い方になります。

I would like him to come to my party.

（私は彼に私のパーティーに来てほしいです。）

6 不定詞・副詞的用法（2）

「～して…です」

基本例文 I am happy to see you again.

I am	happy	to see you again.
	sorry	to hear that.
	sad	to hear the news.
	excited	to join this team.
	surprised	to see this picture.

ポイント ＜I am happy to ＋動詞の原形＞「私は～してうれしい」

形容詞（happy）の後ろに to を続けます。

解説

＜ to ＋動詞の原形＞は「～するために」だけではなく、「～して（うれしい)」という意味でも使われます。

(1) I'm happy.（私はうれしいです。）

「うれしい」という気持ちになった原因を＜ to ＋動詞の原形＞以下で説明します。例えば「あなたにまた会えて」と説明します。

(2) happy の後に、それを説明する to see you again をおきます。

I am happy ＋ to see you again.

（私はうれしいです）＋（あなたにまた会えて）

→（あなたにまた会えて、私はうれしいです。）

「うれしい」という気持ちになった原因を＜ to ＋動詞の原形＞で表します。

＼＼これだけは覚えよう／／

- I am happy to ～ .　「私は～してうれしいです」
- I am sorry to ～ .　「私は～して残念です」

私はあなたにまた会えてうれしいです。

私は	あなたにまた会えて	うれしいです。
	それを聞いて	残念です。
	その知らせを聞いて	悲しいです。
	このチームに入れて	興奮しています。
	この写真を見て	驚いています。

表現を増やそう

- □ I'm happy to　私は～してうれしい
- □ I'm sorry to　私は～して残念だ
- □ I'm surprised to　私は～して驚いている
- □ I'm sad to　私は～して悲しい
- □ I'm excited to　私は～して興奮している

豆知識

〈過去形の文〉

I was happy to see you again.　（あなたにまた会えてうれしかったです。）

I was happy to be with you.　（あなたとご一緒してうれしかったです。）

I was happy to get this present.　（このプレゼントをもらってうれしかったです。）

今日、うれしかったことを１つ言ってみましょう。
I was happy to [　　　　　　　　] today.

7 動名詞（～ ing）の用法

「～すること」

基本例文 I like listening to music.

I	like	listening to music.
You	enjoy	dancing every day.
He	finished	writing the email.
She	practiced	playing the guitar last night.
Please	stop	looking at your smartphone.

ポイント < like ～ ing >「～することが好きです」

動詞の ing 形「～すること」の意味のまとまりが動名詞です。

解説

英語で「～することが好きです」は、like to do を使うことをお話しました。これとほぼ同じ内容を動詞の ing 形でも表すことができます。「動き」はありますが「～すること」は名詞です。この動詞の ing 形を**動名詞**といいます。

(1) I like [to listen] to music.（私は音楽を聞くことが好きです。）

(2) I like [listening] to music.（私は音楽を聞くことが好きです。）

「～することを楽しむ」と言うときは、いつも enjoy ~ing です。

I enjoy [dancing] every day.（私は毎日ダンスをすることを楽しみます。）

× enjoy to dance とは言えません。

enjoy, finish, stop の後は、~ing です。
動名詞を後ろにおくことができる動詞は決まっています。

これだけは覚えよう

- I like ～ ing.　「私は～することが好きです」
- He finished ～ ing.　「彼は～することを終えました」

私は音楽を聞くことが好きです。

私は	音楽を聞くことが	好きです。
あなたは	毎日ダンスをすることを	楽しみます。
彼は	メールを書くことを	終えました。
彼女は	昨夜、ギターを弾くことを	練習しました。
どうぞ	スマホを見ることを	やめてください。

表現を増やそう

動名詞だけをとる動詞

□ enjoy ~ing　～することを楽しむ
□ finish ~ing　～することを終える

不定詞と動名詞の両方をとる動詞

□ like to do / ~ing　～することが好き
□ begin to do / ~ing　～することを始める
□ start to do / ~ing　～することを始める

不定詞だけをとる動詞（代表的なもの）

□ want to do　～したい
□ hope to do　～することを望む

知識

動名詞（動詞の ing 形）の意味のまとまりは、主語にすることもできます。

Making a cake is easy.（ケーキを作ることは簡単です。）

8 疑問詞 ＋ to ～

「～のしかた」「～すべき」

基本例文　I know how to buy tickets.

I	know	how to buy tickets.
You	don't know	what to do next.
He	knows	when to start.
She	told me	which to choose.
Please	tell me	where to go first.

ポイント　＜疑問詞＋to ＋動詞の原形＞「〔疑問詞〕～すべきか」

how to はセットで覚えましょう。

解説

<how to ＋動詞の原形＞で「どのように～すべきか」「～のしかた」を表します。これは、何かのやり方を質問するときに使える表現です。know や tell me の後でよく使われます。

(1) I know how to buy tickets.　（私はチケットの買い方を知っています。）

(2) Please tell me how to get to the station.　（駅への行き方を教えてください。）

＊ get to「～へ着く」

how to ～で「～のしかた」という意味です。

他に、what to do（何をすべきか）、where to go（どこへ行くべきか）など、疑問詞の意味をそのまま「～すべきか」の前にあてはめることができます。

これだけは覚えよう

- **how to ～**　「～のしかた、～する方法」
- **when to ～**　「いつ～すべきか」

私はチケットの買い方を知っています。

私は	チケットの買い方を	知っています。
あなたは	次に何をすべきかを	知りません。
彼は	いつ出発すべきかを	知っています。
彼女は	どちらを選ぶべきかを	私に言いました。
どうぞ	最初にどこへ行くべきかを	教えてください。

5章 不定詞・動名詞・分詞

表現を増やそう

- □ how to + 動詞の原形　どのように～すべきか、～のしかた
- □ what to + 動詞の原形　何を～すべきか
- □ where to + 動詞の原形　どこへ〔で〕～すべきか
- □ when to + 動詞の原形　いつ～すべきか
- □ which to + 動詞の原形　どちらを～すべきか

豆知識

how to ~, what to などは疑問文ではないので、文の最後に「?」をつけません。

Please tell me how to buy tickets.　（チケットの買い方を教えてください。）
Please tell me what to do next.　（次に何をすべきかを教えてください。）

9 現在分詞の後置修飾

「〜している名詞」

基本例文 Look at the boy standing by the door.

Look at	the boy	standing by the door.
	the man	talking with Mary.
	the girl	dancing on the stage.
	the children	playing in the yard.

ポイント ＜名詞＋動詞の ing 形＋２語以上＞「〜している名詞」

ing 形で始まる「〜している」が２語以上で名詞の後ろにおきます。

解説

「ドアのそばに立っている少年」というときには、standing by the door（ドアのそばに立っている）という意味のまとまりが名詞 boy「少年」を後ろから修飾します。

(1) the boy （少年）

(2) standing by the door （ドアのそばに立っている）

ing 形で始まる２語以上の意味のまとまりは、名詞を後ろから修飾します。

(3) the boy ＋ standing by the door（ドアのそばに立っている少年）

「〜している○○」は、文の最後や文の中にきます。

Look at the man talking with Mary. （メアリーと話をしている男性を見なさい。）

The girl dancing on the stage is Eri.（ステージで踊っている少女はエリです。）

＼これだけは覚えよう／

・the boy ＋～ ing（…）「～している少年」

ドアのそばに立っている少年を見なさい。

ドアのそばに立っている	少年	を見なさい。
メアリーと話している	男性	
ステージで踊っている	少女	
庭で遊んでいる	子どもたち	

表現を増やそう

- □ the woman watching TV　テレビを見ている女性
- □ the man sitting under the tree　あの木の下に座っている男性
- □ the boy swimming in the pool　プールで泳いでいる男の子
- □ the girl taking pictures　写真を撮っている女の子

豆知識

・「走っている男の子」は「走っている」(running) が1語なので、名詞 (boy) の前に、「～している」の意味をもつ running をおきます。

a running boy

ing 形自体に「～している」という意味があります。

・「公園で走っている男の子」は「公園で走っている」(running in the park) を名詞 (boy) の後ろにおきます。

a boy running in the park

2語以上の意味のまとまりは名詞の後ろにおきます。

10 過去分詞の後置修飾

「～された名詞」

基本例文　This is the window broken by Tom.

This is	the window	broken by Tom.
	the car	made in Japan.
	the letter	written in English.
	the temple	built 500 years ago.

ポイント　<名詞＋過去分詞＋２語以上>「～された名詞」

過去分詞で始まる「～された」が２語以上で名詞の後ろにおきます。

解説

「トムによって割られた窓」というときには、broken by Tom（トムによって割られた）という意味のまとまりが名詞 window「窓」を後ろから修飾します。

(1) the window　（窓）

(2) broken by Tom（トムによって割られた）

過去分詞で始まる２語以上のまとまりは、名詞を後ろから修飾。

(3) the window ＋ broken by Tom（トムによって割られた窓）

「～された○○」は、文の最後や文の中にきます。

This is the window broken by Tom.　（これはトムによって割られた窓です。）

Cars made in Japan are popular.　（日本で作られた車は人気があります。）

\\ これだけは覚えよう //

・the window ＋過去分詞（…）　「～された窓」

これはトムによって割られた窓です。

これは	トムによって割られた	窓です。
	日本で作られた	車です。
	英語で書かれた	手紙です。
	500 年前に建てられた	寺です。

表現を増やそう

- □ a letter written in Chinese　中国語で書かれた手紙
- □ a building seen from here　ここから見られる〔見える〕建物
- □ a watch made in America　アメリカで作られた時計
- □ a song liked by children　子どもたちに好かれている歌

豆知識

・「割れた窓」は「割れた」（broken）が1語なので、名詞（window）の前に、「～された」の意味を持つ broken をおきます。

a broken window

過去分詞自体に「～された」という意味があります。

・「トムによって割られた窓」は「トムによって割られた」（broken by Tom）を名詞（window）の後ろにおきます。

a window broken by Tom

2語以上の意味のまとまりは名詞の後ろにおきます。

不定詞・動名詞・分詞のまとめ

❶ おさえておきたい to do と doing

to do：to は「～へ」の方向を表し、意味は「これから～すること」

doing：ing は「今、～しているところ」のように、「すでにしていること」

❷ 不定詞3用法のまとめ

(1) 名詞的用法	～すること
(2) 形容詞的用法	～するための、～すべき
(3) 副詞的用法	～するために、～して

「～すること」の応用

(1) ＜ tell ＋人＋ to ＋動詞の原形＞　「人に～するように言う」

I told John to close the door.

（ジョンにドアを閉めることを（閉めるように）言いました。）

(2) ＜ ask ＋人＋ to ＋動詞の原形＞　「人に～するように頼む」

I asked him to open the window.

（彼に窓を開けるように頼みました。）

(3) ＜ help ＋人＋ (to) 動詞の原形＞　「人が～することを手伝う」

I helped John clean the room.

（私はジョンが部屋を掃除するのを手伝いました。）

形容詞はsomethingの後ろにおきます。

「何か飲むものと、何か冷たい飲み物」

something to drink	（何か飲むもの）
something cold to drink	（何か冷たい飲み物）
something hot to drink	（何か温かい飲み物）

❸ 不定詞・動名詞を後ろにとる動詞の種類

(1) 不定詞だけをとる動詞

・hope　I hope to see you.　(私はあなたに会いたいです。)
・want　I want to go home.　(私は家に帰りたいです。)
・wish　I wish to go on a trip.　(私は旅行に行きたいです。)

(2) 動名詞だけをとる動詞

・enjoy　I enjoy swimming.　(私は水泳を楽しみます。)
・finish　I finished reading the book.　(私は本を読み終えました。)
・practice　I practiced playing the piano.　(私はピアノの練習をしました。)

(3) 不定詞と動名詞のどちらもとる動詞

・like　I like to dance. / dancing.　(私は踊ることが好きです。)
・begin　I began to sing a song. / singing a song.
(私は歌を歌い始めました。)
・start　I started to work. / working.　(私は働き始めました。)

❹ 意味がまったく変わる動詞 "stop"

stop には、後ろにくることばで意味が変わる特徴があります。

(1) I stopped using a smartphone.(私はスマホを使うことをやめました。)
~ing なので、「もうすでにしていることをやめる」

(2) I stopped to use a smartphone.
(私はスマホを使うために立ち止まりました。)

「to ＋動詞の原形」は「これからすること」がもともとの意味なので、「立ち止まって、スマホを使う」(スマホを使うために立ち止まった) になります。

stop doing	～することをやめる
stop to do	～するために立ち止まる

6章

受け身、接続詞

1 受け身の文 (1)
(by ～がつく文)

基本例文 Kyoto is visited by many people.

現在形

Kyoto	is visited	by many people.
Mary	is loved	by Tom.

過去形

I	was scolded	by Mr. Jones.
This cake	was made	by my brother.
The picture	was painted	by Picasso.

ポイント ＜be 動詞＋過去分詞＋by …＞

「…によって～される・されている」

「人」や「もの」が誰かによって「～される」ときに使います。

解説

「受け身」とは「人・ものは～される・された」という言い方です。例えば、Kyoto（京都）と動詞 visit を見てみましょう。Kyoto は「訪問する」のか、「訪問される」のかで、主役（主語）が代わります。

普通の文　Many people visit Kyoto.　（多くの人が京都を訪問します。）

受け身　Kyoto is visited by many people.（京都は多くの人に訪問されます。）

(1) be 動詞の後に過去分詞（visited）をおきます。

(2) 主語が単数（1つ）なので、be 動詞は is です。

(3) by を使うと、「～によって」と動作する人を言うときに使います。

\\これだけは覚えよう//

・A is 過去分詞 by ….　「Aは…に～されています」
・A was 過去分詞 by ….　「Aは…に～されました」

京都はたくさんの人に訪問されています。

京都は	たくさんの人に	訪問されています。
メアリーは	トムによって	愛されています。

私は	ジョーンズ先生に	怒られました。
このケーキは	私の弟によって	作られました。
その絵は	ピカソによって	描かれました。

表現を増やそう

※ be は、be 動詞を表します。

□ be visited	訪問される	□ be opened	開けられる
□ be loved	愛される	□ be closed	閉じられる
□ be scolded	怒られる	□ be invited	招待される
□ be made	作られる	□ be known	知られる
□ be painted	描かれる	□ be written	書かれる

豆知識

注意：主語をよく見よう！

These books are read by many people.

（この本はたくさんの人によって読まれています。）

主語が単数なら is、複数なら are です。

主語が複数（books）なので、are になります。

2 受け身の文 (2)
(by ～がつかない文)

基本例文 Spanish is spoken in Mexico.

Spanish	is spoken	in Mexico.
English and French	are spoken	in Canada.
Eggs	are sold	at the store.
Sushi	is eaten	in many countries.
This stone	was found	in Egypt.

ポイント　<be 動詞＋過去分詞>「～される・されている」

後ろに by がつかない受け身の文があります。

解説

English is spoken in many countries.（英語はたくさんの国で話されています。）
のように、by（～によって）がつかない文を見てみましょう。
by がつかない「受け身」は2つに分けられます。

(1) 動作をする人が明確な場合

They speak Spanish in Mexico.

Spanish is spoken in Mexico (by them).

（スペイン語はメキシコで話されています。）

by them は「彼らによって」。
「彼ら」とは、メキシコの人たちです。

(2) 誰がしたのか、わからない場合

Look at this picture. This picture was taken in Italy.

（この写真を見てください。この写真はイタリアで撮られました。）

一般の人？
誰が撮ったのか、
わかりません。

\\ これだけは覚えよう //

- **A is 過去分詞 .**　「A は〜されています」
- **A was 過去分詞 .**　「A は〜されました」

スペイン語はメキシコで話されています。

スペイン語は	メキシコで	話されています。
英語とフランス語は	カナダで	話されています。
卵は	その店で	売られています。
寿司は	多くの国で	食べられています。
この石は	エジプトで	発見されました。

表現を増やそう

原形		過去形	過去分詞形
□ speak	〜を話す	□ spoke	□ spoken
□ sell	〜を売る	□ sold	□ sold
□ eat	〜を食べる	□ ate	□ eaten
□ find	〜を見つける	□ found	□ found

知識

My bag was stolen.（私のカバンが盗まれました。）

*stolen は steal（盗む）の過去分詞。

「誰が盗んだ」のか、わからないので、my bag が主語の「受け身」の文になります。

6章 受け身、接続詞

3 受け身の文 (3)
（いろいろな表現）

基本例文 I am interested in history.

I	am interested in am surprised at	history. the news.
He She Mary	is satisfied with is excited at is pleased with	the result of the test. the baseball game. her new job.

ポイント　<be interested in ～>「～に興味をもっている」

過去分詞の後ろの前置詞は、by だけではなく、動詞によって変わります。

解説

interest は「～に興味をもたせる」という意味の動詞です。ネイティブは「感情は何らかの影響を受けて起こる」と考えるため、感情を表す動詞は受け身を使います。I'm interested in ~. I'm surprised at ~. など、教科書などでは、interested や surprised は形容詞として説明されています。他に by 以外の前置詞を後ろに取るものには be covered with があります。

The mountain is covered with snow.（その山は雪に覆われています。）

受け身のとき、過去分詞は be 動詞とセットで使います。

普通の文　Many people know the singer.（多くの人がその歌手を知っています。）

受 け 身　The singer is known to many people.（その歌手は多くの人に知られています。）

*be known to ～　（～に知られている）

＼これだけは覚えよう／

・… is 過去分詞 .　「…は〜ています」

私は歴史に興味をもっています。

私は	歴史に	興味をもっています。
	そのニュースに	驚いています。

彼は	試験の結果に	満足しています。
彼女は	野球の試合に	興奮しています。
メアリーは	新しい仕事が	気に入っています。

表現を増やそう

※ be は、be 動詞を表します。

- □ be interested in ~　〜に興味をもっている
- □ be surprised at ~　〜に驚いている
- □ be satisfied with ~　〜に満足している
- □ be excited at ~　〜に興奮している
- □ be pleased with ~　〜を気に入っている

豆知識

be interested in は何かに興味や関心をもっていることを表す表現です。趣味・活動・話題などに使うことができます。

I am interested in traveling abroad.（海外旅行）
listening to K-pop music（K ポップを聞くこと）
karate（空手）
rock music（ロックミュージック）

4 受け身の否定文、疑問文

「〜されていません」「〜されていますか？」

基本例文 I am not invited to the party.

I am not	invited to the party.
This computer is not	made in Japan.

Is this car	made in Japan?
Is English	spoken in your country?
Was this letter	written by Tom?

ポイント　<be 動詞＋not ＋過去分詞>

「〜されない・されていない」

作り方は be 動詞の否定文・疑問文と同じです。

否定文は、be 動詞の後ろに not を入れます。

疑問文は、be 動詞を文の最初におきます。

解説

(1) 否定文は、be 動詞の後ろに not をおきます。

I am not invited to the party.　（私はパーティに招待されていません。）

This computer is not made in Japan.　（このコンピュータは日本で作られていません。）

否定文では、よく短縮形が使われます。
is not → isn't
are not → aren't
was not → wasn't
were not → weren't

(2) 疑問文は、be 動詞を主語の前におきます。

疑問文　Was this letter written by Tom?

（この手紙はトムによって書かれましたか？）

答え方　Yes, it was.　（はい、そうです。）

No, it wasn't.　（いいえ、違います。）

It was written by Mary.　（それはメアリーによって書かれました。）

\\ これだけは覚えよう //

- … is not 過去分詞 .　「…は～されていません」
- Is … 過去分詞 ?　「…は～されていますか？」

私はそのパーティに招待されていません。

私は	そのパーティに招待されていません。
この機械は	日本で作られていません。

この車は	日本で作られていますか？
英語は	あなたの国で話されていますか？
この手紙は	トムによって書かれましたか？

表現を増やそう

原形		過去形	過去分詞形
□ invite	～を招待する	□ invited	□ invited
□ make	～を作る	□ made	□ made
□ speak	～を話す	□ spoke	□ spoken
□ write	～を書く	□ wrote	□ written

豆知識

「何」「いつ」「どこ」を表す疑問詞も受け身の文によく使われます。

Who is invited to the party?　（誰がパーティーに招待されていますか？）

When was this book written?　（いつこの本は書かれましたか？）

Where was your car made?　（どこであなたの車は作られましたか？）

5　受け身の文（4）
（助動詞のある文）

基本例文　Mt. Fuji can <u>be seen</u> from here.

Mt. Fuji	can <u>be seen</u>	from here.
Money	should <u>be used</u>	wisely.
This book	must <u>be returned</u>	today.
The box	may <u>be opened</u>	by my son.
My homework	will <u>be finished</u>	soon.

ポイント　＜can be ＋過去分詞＞「～されることができる」

助動詞（can, will など）の後ろに be をおきます。

解説

今回は、助動詞（can, will, should）が受け身と一緒に使われることについてお話します。形は、＜助動詞 be ＋過去分詞＞で、助動詞の後ろは常に be です。

(1)「～されることができる」のように、可能なことを受け身で表すときには、＜ can be ＋過去分詞＞にします。

Mt. Fuji [can be seen] from here in winter.

（富士山は冬にここから見られます。≒富士山を冬にここから見ることができます。）

(2)「～されるでしょう」のように、未来のことを受け身で表すときには、＜ will be ＋過去分詞＞にします。

My homework [will be finished] soon.（私の宿題はすぐに終えられるでしょう。）

これだけは覚えよう

- … can be 過去分詞.「…は～されることができます」
- … may be 過去分詞.「…は～されるかもしれない」

富士山はここから見られます。

富士山は	ここから	見られます。
お金は	賢く	使われるべきです。
この本は	今日	返されなければなりません。
その箱は	私の息子によって	開けられるかもしれない。
私の宿題は	すぐに	終えられるでしょう。

表現を増やそう

- □ can be done　～されることができる
- □ should be done　～されるべきである
- □ must be done　～されなければならない
- □ will be done　～されるでしょう
- □ be 動詞＋ going to be done　～されることになっている

※ done は do の過去分詞形で、ここでは「～される」の意味を表します。

豆知識

〈未来の受け身の文〉

肯定文　Dinner will be cooked by her tomorrow.

否定文　Dinner will not be cooked by her tomorrow.

疑問文　Will dinner be cooked by her tomorrow?

答え方　Yes, it will.　（はい、作られるでしょう。）

No, it won't.　（いいえ、作られないでしょう。）

6 受け身の文 (5)
（疑問詞のある文）

基本例文 What is this called in English?

Who	was this book	written by?
When	was this temple	built?
Where	was the cat	found?

What	was	written in his letter?
Which room	was	cleaned by him?

ポイント ＜ Who ＋ be 動詞＋主語＋過去分詞 by ？＞
「誰によって…は～されますか？」
疑問詞（Who, What など）の後ろは、be 動詞の疑問文の語順です。

解説

今回は、疑問詞（who など）を使った、受け身についてお話します。

肯定文 This book was written by Natsume Soseki.
（この本は夏目漱石によって書かれました。）

疑問文 Was this book written by Natsume Soseki?
（この本は夏目漱石によって書かれましたか？）

疑問文にするときには、be 動詞を主語の前におきます。

答え方 Yes, it was.（はい、そうです。）No, it wasn't.（いいえ、そうではありません。）

「誰によってなのか」をたずねるときには、by の後の＜人（Natsume Soseki）＞を who に代えて文の最初におきます。

疑問文 Who was this book written by?（この本は誰によって書かれましたか？）

答え方 Natsume Soseki wrote it. / did.（夏目漱石が書きました。）

\\ これだけは覚えよう //

・Who is … 過去分詞 by?

「誰によって…は～されますか？」

これは英語で何と呼ばれていますか？

誰によって	この本は	書かれましたか？
いつ	この寺は	建てられましたか？
どこで	そのネコは	見つけられましたか？

何が	彼の手紙に書かれていましたか？
どちらの部屋が	彼によって掃除されましたか？

表現を増やそう

原形		過去形	過去分詞形
□ write	～を書く	□ wrote	□ written
□ build	～を建てる	□ built	□ built
□ take	～をとる	□ took	□ taken
□ clean	～を掃除する	□ cleaned	□ cleaned

豆知識

疑問詞（Who, What など）でたずねられたときには、Yes, No で答えることはできません。

疑問文 What language is spoken in Brazil?
（ブラジルでは何の言語が話されていますか？）

答え方 Portuguese is spoken in Brazil.
（ポルトガル語がブラジルで話されています。）

7 文と文をつなぐ接続詞 that

「～と思います」「～だと知っています」

基本例文 I think that John is busy.

I think	John is busy.
I know	Tom likes sushi.
I believe that	you are right.
I hope	it will be sunny tomorrow.
I hear	Joy is from Canada.

ポイント ＜I think that ＋主語＋動詞＞「私は～と思います」

that の後ろに、もう一つ文がきます。

解説

今回は「～だと（いうことを）思う」「～だと知っている」についてお話します。ここでの that は文と文をつなぐので、**接続詞**といいます。

「私は、ジョンは忙しいと思います（ということを思います）。」のように、「～ということ」を表す that を使います。

会話では、that はよく省略されます。

(1) I think　　(私は思います。)

(2) John is busy.　　(ジョンは忙しいです。)

↓ (1) ＋ (2)

(3) I think [that] John is busy.　（私は、ジョンは忙しいと（いうことを）思います。）

(1) と (2)を that でつなぎます。この that は後ろにもう一つ文を続けて、「～ということ」という意味をもちます。

\\ これだけは覚えよう //

- **I think that ～ .**　「私は～と思います」
- **I know that ～ .**　「私は～だと知っています」

私は、ジョンは忙しいと思います。

私は	ジョンは忙しい	と思います。
	トムはお寿司が好き	だと知っています。
	あなたは正しい	と信じています。
	明日晴れる	と願っています。
	ジョイはカナダ出身	だと聞いています。

表現を増やそう

□ I think that	<主語＋動詞>.	私は<　>と思う。
□ I know that	<主語＋動詞>.	私は<　>と知っている。
□ I believe that	<主語＋動詞>.	私は<　>と信じている。
□ I hope that	<主語＋動詞>.	私は<　>と願っている。
□ I hear that	<主語＋動詞>.	私は<　>と聞いている。

豆知識

「私は～だと知っています」と言うときは、I know that ～を使います。

(1) I know　（私は知っています。）

(2) John is busy.　（ジョンは忙しいです。）

↓ (1) ＋ (2)

(3) I know [that] John is busy.　（私はジョンが忙しいと（いうことを）知っています。）

(1)と(2)を that でつなぎます。

8 文と文をつなぐ接続詞 when

「～するとき」「～したとき」

基本例文 When I have free time, I listen to music.

	I have free time,	I listen to music.
	I got up,	it was raining.
When	I visited my aunt,	she was reading a book.
	I saw Eri,	she was walking her dog.
	I came home,	he was watching TV.

ポイント <When 主語＋動詞>「～するとき」「～したとき」

< When 主語＋動詞>の後ろに、もう一つ文がきます。

解説

「私は暇な時間があるとき、音楽を聞きます。」のように、「～するとき」と言うときには when を使います。この when は文と文をつなぐので、接続詞といいます。

(1) When I have free time　（私は暇な時間があるとき）

(2) I listen to music　（私は音楽を聞きます）

↓ (1) ＋ (2)

(3) [When I have free time], I listen to music.

I listen to music [when I have free time].

カンマ (,) の後ろに
もう一つ文が続きます。

when ～ は文の前半、後半、どちらにもおくことができます。前半におく場合には、コンマ (,) をつけて、区切りをはっきりさせましょう。

\\ これだけは覚えよう //

・When ～ , ...　「～する〔～した〕とき、…」

私は暇な時間があるとき、音楽を聞きます。

私は暇な時間があるとき、	私は音楽を聞きます。
私が起きたとき、	雨が降っていました。
私が叔母を訪れたとき、	彼女は本を読んでいました。
私がエリに会ったとき、	彼女は犬を散歩させていました。
私が帰宅したとき、	彼はテレビを見ていました。

表現を増やそう

- □ When I was a child,　私が子どもだったとき、
- □ When I arrived at the station,　私が駅に着いたとき、
- □ When he was in Japan,　彼が日本にいたとき、
- □ When she was ten,　彼女が 10 才のとき、

豆知識

When には「いつ」という意味もありますが、使い方は変わります。

疑問詞　When were you in Canada?

＊疑問文の語順　（いつ あなたはカナダにいましたか？）

接続詞　When you were in Canada, you studied science.

＊普通の語順　（あなたはカナダにいたとき、科学を勉強しました。）

9 文と文をつなぐ接続詞 if
「もし～なら」

基本例文 If you are hungry, I will make sandwiches.

If	you are hungry,	I will make sandwiches.
	you have time,	we can go with you.
	you are free,	please help me.
	it is hot tomorrow,	we will swim.

ポイント <If 主語＋動詞>「もし～なら」

「もし～ならば」と条件や仮定を加えて言うときはIfを使います。

解説

「もしあなたはお腹がすいているのなら、私がサンドイッチを作りましょう。」のように、「もし～ならば、」というときには if を使います。この if も文と文をつなぐので、接続詞といいます。

(1) If you are hungry　（もしあなたがお腹がすいているのならば、）
(2) I will make sandwiches.　（私がサンドイッチを作りましょう。）
　↓ (1) ＋ (2)
(3) [If you are hungry], I will make sandwiches.
　I will make sandwiches [if you are hungry].

カンマ(,)の後ろにもう一つ文が続きます。

if ～ は文の前半、後半、どちらにもおくことができます。前半におく場合には、コンマ(,)をつけて、区切りをはっきりさせましょう。

＼＼これだけは覚えよう／／

・If ～ , …　「もし～なら、…」

もしあなたが空腹なら、私がサンドイッチを作りましょう。

もしあなたが空腹なら、	私がサンドイッチを作りましょう。
もしあなたに時間があれば、	私たちはあなたと一緒に行きます。
もしあなたが暇ならば、	私を手伝ってください。
もし明日暑ければ、	私たちは泳ぐつもりです。

表現を増やそう

- □ If you need help,　もしあなたが助けを必要とするならば、
- □ If you are sleepy,　もしあなたが眠いのならば、
- □ If you are tired,　もしあなたが疲れているならば、
- □ If it is sunny tomorrow,　もし明日、晴れならば、
- □ If it rains tomorrow,　もし明日、雨ならば、

注意

○ If it [is] hot tomorrow, we will swim.

× If it will be hot tomorrow, we will swim.

後半の文の will だけを見て、If の中に will を使うのは間違いです。

If の後に続く文が「もし～なら」を表すときは、未来の話でも will を使わずに現在形にします。

10 文と文をつなぐ接続詞 because
「～なので」

基本例文　Because I was sick, I didn't go to school.

Because	I was sick,	I didn't go to school.
	he was tired,	Peter didn't say anything.
	it is exciting,	I like soccer.
	it was hot,	I opened the door.
	you are kind,	I like you very much.

ポイント　<Because 主語＋動詞>「～なので」〔理由〕

「なぜならば」とは使い方が違う because です。

解説

「～なので」と理由や原因を加えて言うときは、< Because ～ , 主語 + 動詞>を使います。例えば「私は病気だったので、学校へ行きませんでした。」のように、「～なので」をいうときには because を使います。この because も文をつなぐので**接続詞**といいます。

(1) Because I was sick　（私は病気だったので）
(2) I didn't go to school　（私は学校に行きませんでした）
　↓ (1) ＋ (2)
(3) I didn't go to school because I was sick.
　Because I was sick, I didn't go to school.

カンマ (,) の後ろにもう一つ文が続きます。

because ～は文の前半、後半、どちらにもおくことができます。前半におく場合には、コンマ (,) をつけて、区切りをはっきりさせましょう。

＼これだけは覚えよう／

・Because ～ , …　「～なので、…」

私は病気だったので、学校へ行きませんでした。

私は病気だったので、	私は学校へ行きませんでした。
彼は疲れていたので、	ピーターは何も言いませんでした。
それは興奮するので、	私はサッカーが好きです。
暑かったので、	私はドアを開けました。
あなたは親切なので、	私はあなたが大好きです。

表現を増やそう

- □ **Because we studied hard,** 私たちは熱心に勉強したので、
- □ **Because I like experiments,** 私は実験が好きなので、
- □ **Because I like love stories,** 私はラブストーリーが好きなので、
- □ **Because I like watching anime,** 私はアニメを見ることが好きなので、
- □ **Because we have a lot of free time,** たくさん自由時間があるので、

豆知識

Because は Why ～?（なぜ～？）の質問に対して「なぜならば、」と理由を答えるときにも使います。

疑問文　Why do you study English?（なぜ英語を勉強するのですか？）

答え方　Because I want to go to America.

（なぜなら、アメリカに行きたいからです。）

受け身の文のまとめ

❶ 肯定文・否定文・疑問文　＜ be 動詞＋過去分詞＞

「受け身」の文を使って、「写真を撮った」「写真を撮られた」の作り方を見てみましょう。

	主語	動詞	目的語
肯定文	My sister	took	this picture.

主語（主役）は「姉」

This picture [was taken] by my sister.

主語（主役）は「この写真」

その動作をする人は by で表します。

Someone took this picture in Yakushima.

This picture [was taken] (by someone) in Yakushima.

誰が撮ったのか、わからないので、by someone を省略します。

否定文 This picture [was not taken] in Yakushima.

not を be 動詞の後におきます。

疑問文 [Was] this picture [taken] in Yakushima?

be 動詞の疑問文と同じです。

答え方 Yes, it [was].

No, it [wasn't].

be 動詞（was）で聞かれたときは、答えるときも be 動詞（was）です。

❷ by 以外の語を使う受け身の表現：be made from と be made of

(1) Butter is made from milk. （バターは牛乳からできています。）

ひと目見て、何からできているのか、わからないときは from

(2) This desk is made of wood. （この机は木でできています。）

ひと目見て、何でできているのか、わかるときは of

❸ ワンランク上の受け身：give と make

(1) メアリーはボブに帽子を与えました。

Mary gave Bob the cap. give ＋人＋もの

Bob was given the cap by Mary.

Mary gave the cap to Bob. give ＋もの＋ to 人

The cap was given to Bob by Mary.

(2) メアリーはボブに帽子を作ってあげました。

Mary made Bob the cap. make ＋人＋もの

Mary made the cap for Bob. make ＋もの＋ for 人

The cap was made for Bob by Mary.

	原形	過去形	過去分詞形	
規則動詞	open（開ける）	opened	opened	-(e)d をつけるだけ。
不規則動詞	make（作る）	made	made	過去形と過去分詞が同じ。
	build（建てる）	built	built	
	see（見る）	saw	seen	形がそれぞれ違う。
	take（とる）	took	taken	
	come（来る）	came	come	原形と過去分詞が同じ。
	read（読む）	read	read	形がすべて同じ。

7章

いろいろな構文

1 There is ～

「～があります」

基本例文 There is a book on the desk.

現在形

There is	a book	on the desk.
There are	two books	on the table.

過去形

There was	a hospital	near the station.
There were	many boys	in the park.

ポイント <There is/are ～＋場所>

「…に～があります（います）」

文の最後には、場所を表す語句がきます。

解説

「…に～があります」を言うときには、There is で文を始めます。その後に、場所を表す語句を続けます。

「机の上に1冊の本があります。」は次の通りです。

There is [a book] <u>on the desk</u>.

（～がある　1冊の本　　机の上に）

[もの〔名詞〕]＋ <u>場所を表す語句</u>

2つ（2人）以上を表すときには、There are で文を始めます。

are の後ろは、名詞の複数形です。

There are [two books] <u>on the desk</u>.

There is/are の後ろには、人やもの〔名詞〕がきます。

\\ これだけは覚えよう //

- **There is 〜 .** 「〜があります」
- **There was 〜 .** 「〜がありました」

机の上に１冊の本があります。

机の上に	１冊の本	があります。
テーブルの上に	２冊の本	があります。

駅の近くに	病院	がありました。
公園に	たくさんの男の子	がいました。

表現を増やそう

□ on	〜の上に	□ on the desk	机の上に
□ under	〜の下に	□ under the table	テーブルの下に
□ in	〜の中に	□ in the box	箱の中に
□ by	〜のそばに	□ by the window	窓のそばに
□ near	〜の近くに	□ near the station	駅の近くに

豆知識

「…に〜がありました（いました）」という過去の文は、be 動詞を was/were に変えるだけです。

There was [a boy] in the park.
（公園に１人の男の子がいました。）

There were [many boys] in the park.
（公園にたくさんの男の子がいました。）

There は「ほら、そこ」と相手に注意を向けるための語で、特に日本語の訳には出てきません。

2 so ～ that ...

「とても～なので、…」

基本例文 I am so tired that I want to sleep.

be 動詞の文

I am	tired	I want to sleep.
It was	so cold	that I wore gloves.
The bag is	heavy	I can't carry it.

一般動詞の文

He talks	so fast	that we can't listen well.

ポイント <so ～ that ...>「とても～なので、…です」

この形では、so の代わりに very は使いません。

解説

「とても～なのでです」は、「とても～なので」と「…です」で考えます。

be 動詞の文　「私はとても疲れているので、私は寝たいです。」

(1)　I am so tired　（私はとても疲れています）

(2)　I want to sleep　（私は寝たいです）

(3)　(1) と (2) を接続詞 that でつなぎます。

I am so tired that I want to sleep.

so の後ろは、形容詞（tired など）または副詞（fast など）です。

一般動詞の文　「彼女はとても早く話すので、私たちはよく聞き取れません。」

(1)　She talks so fast　（彼女はとても早く話します）

(2)　we can't listen well　（私たちはよく聞き取れません）

(3)　(1) と (2) を接続詞 that でつなぎます。

She talks so fast that we can't listen well.

\\ これだけは覚えよう //

・so ～ that ...　「とても～なので、…」

私はとてもで疲れているので、私は寝たいです。

私はとても疲れているので	私は寝たいです。
とても寒かったので	私は手袋をしました。
そのカバンはとても重いので	私はそれを運ぶことができません。

彼はとても速く話すので	私たちはよく聞き取れません。

表現を増やそう

- □ get up　起きる
- □ take a shower　シャワーを浴びる
- □ get dressed　服を着る
- □ leave for school　学校に出かける
- □ walk to school　歩いて学校に行く
- □ get to school　学校に着く
- □ take a class　授業を受ける
- □ study hard　熱心に勉強する

豆知識

〈so ～ that ...〉と〈too ～ to ...〉の書き換えの例

「この本はとても難しいので、私には読むことができません。」

・This book is so difficult that I can't read it.

・This book is too difficult for me to read.

3 too ～ to ...

「とても～なので、…できない」

基本例文 I am too tired to walk.

I am	too	tired	to	walk.
Tom is		shy		sing in public.
It is		cold		swim.
I was		busy		go with you.

The book is	too difficult	for me to read.

ポイント ＜too ～ for(人) ＋to ＋動詞の原形＞

「とても～なので、(人は) …できない」

tooは「必要以上に～すぎる」という否定のニュアンスを持つ語です。

解説

強調のtooについてお話します。「とても～なので…できない」は、「とても～なので」と「…できない」のセットで考えます。

「私はとても疲れているので、歩くことができません。」

(1) I am too tired (私はとても疲れています)

(2) 歩くことができない は、too ~ toの後ろにおきます。

(3) (1)と(2)を＜too ～ to ＋動詞の原形＞でつなぎます。

I am too tired to walk.

＜too ...(for 人) to ～＞は、形は肯定、意味は否定になります。

too ～ to ... が「…できない」の意味になるのは、「歩くには疲れすぎている。だからとても疲れていて歩けない。」を日本語に合わせて意訳したためです。

＼＼これだけは覚えよう／／

- **too ～ to ...**　「とても～なので、…できません」

私はとても疲れているので、歩くことができません。

私は	とても疲れているので	歩くことができません。
トムは	とても内気なので	人前で歌うことができません。
(気候が)	とても寒いので	泳ぐことができません。
私は	とても忙しかったので	あなたと一緒に行くことができませんでした。
その本は	とても難しいので	私には読むことができません。

表現を増やそう

- □ watch movies　映画を見る
- □ draw pictures　絵を描く
- □ eat snacks　おやつを食べる
- □ listen to music　音楽を聞く
- □ play online games　オンラインゲームをする
- □ go shopping　買い物に行く
- □ read books　本を読む
- □ surf the internet　ネットサーフィンをする
- □ practice the piano　ピアノの練習をする

豆知識

< to ＋動詞の原形>の前に for（人）を入れると、「～にとって」を表します。

The book is too difficult for me to read.

（この本はとても難しいので、私には読むことができません。）

for ～の「～」を「意味上の主語」と呼びます。

4 動詞 look, become の使い方

「～に見える」「～になる」

基本例文 You look happy.

look（～に見える）

You	look	happy. tired. angry.

become（～になる）

He	became	a singer. famous.

ポイント　＜look ＋形容詞＞「～に見える」

look の後には、形容詞（happy, sad, angry など）がきます。

解説

(1) ＜ look ＋形容詞＞「～に見える」

look at ～ は「～を見る」という表現ですが、ここでの look は「(主語は) ～に見える」です。このとき at は使いません。

You [are] happy.（あなたは幸せです。）
↓　　　　　　　　↓
You [look] happy.（あなたは幸せそうに見えます。）

be 動詞（are）を look に変えると、You look happy. は「(私には) あなたは幸せそうに見えます。」となります。

(2) ＜ become ＋名詞／形容詞＞「～になる」

He [became] a singer.（彼は歌手になりました。）

＊ became は become の過去形です。

He is a singer. は「彼は歌手です。」の意味です。

\\これだけは覚えよう//

- look ～　「～（のよう）に見える」
- become ～　「～になる」

あなたは幸せそうに見えます。

あなたは	幸せそう 疲れているよう 怒っているよう	に見えます。

彼は	歌手 有名	になりました。

表現を増やそう

□ happy	幸せな	□ glad	うれしい
□ excited	興奮した	□ surprised	驚いた
□ sad	悲しい	□ lonely	さびしい
□ angry	怒っている	□ sleepy	眠い
□ nervous	緊張した	□ relieved	安心した

豆知識

他の動詞には、feel「～に感じる」、sound「～と思われる、～に聞こえる」があります。

I feel tired.　（私は疲れていると感じます。）

Your idea sounds good.　（あなたの考えはよさそうです。）

5 動詞 give, show などの使い方

「AにBをあげる」「AにBを見せる」

基本例文　I gave Mary some flowers yesterday.

I	gave Mary	some flowers.
He	teaches us	English.
She'll	send you	an e-mail.

どうぞ～してください

Please	show me	your pictures.
	tell me	the way to the station.

ポイント　<give ＋（人）＋（もの）>「（人）に（もの）をあげる」

（人）が代名詞のときは、me, you, her, us などを使います。

解説

（1）give ＋（人）＋（もの）

「（人）に～をあげる」というときには、give を使います。後ろには「誰に」、そして、「何を」が続きます。

「私はメアリーに何本かの花をあげました。」

I gave Mary some flowers.

「人＋もの」順番が大切。

give の後に<人＋もの>を続けます。

（2）show ＋（人）＋（もの）

「私にあなたの写真を見せてください。」

Please show me your pictures.

「（人）に～を見せる」と言うときには、show の後に<人＋もの>を続けます。

\\ これだけは覚えよう //

・give（人）（もの）　「（人）に（もの）をあげる」
・show（人）（もの）　「（人）に（もの）を見せる」

私は昨日、メアリーに何本かの花をあげました。

私は	メアリーに	何本かの花	をあげました。
彼は	私たちに	英語	を教えています。
彼女は	あなたに	Eメール	を送るつもりです。

どうぞ	私に	あなたの写真	を見せてください。
		駅への道	を教えてください。

表現を増やそう

※（　）は過去形です。

- □ give (gave) ＋人＋もの　（人）に（もの）をあげる
- □ teach (taught) ＋人＋もの　（人）に（もの）を教える
- □ send (sent) ＋人＋もの　（人）に（もの）を送る
- □ show (showed) ＋人＋もの　（人）に（もの）を見せる
- □ tell (told) ＋人＋もの　（人）に（もの）を教える・話す

豆知識

次の動詞（make）も、後ろは「人＋もの」の語順になります。

Bob made [me] [a cake].　（ボブは私にケーキを作ってくれました。）

I will make [you] [some coffee].（私があなたにコーヒーをいれてあげましょう。）

7章 いろいろな構文

6　動詞 call, name の使い方

「A を B と呼ぶ」「A を B と名づける」

基本例文　**We call him Max.**

call（～と呼ぶ）

We	call him	Max.
My brother	calls me	Hiro.
Please	call me	Chris.

name（～と名づける）

We	named our dog	Taro.
John	named his son	Kenta.

ポイント

＜call ＋A ＋ B ＞「A を B と呼ぶ」

＜name ＋ A ＋ B ＞「A を B と名づける」

語順で大切な点は、「A は B である」という意味上のつながりです。

Aの呼び方がBにきます。
例　マックス、タロー

解説

(1) ＜ call ＋ A ＋ B ＞「A を B と呼ぶ」の後ろには、A、B ともに名詞がきます。

We call [him] [Max].　（私たちは彼をマックスと呼びます。）

Please call [me] [Nick].　（私をニックと呼んでください。）

自己紹介をするときに使えます。

(2) ＜ name ＋ A ＋ B ＞「A を B と名づける」A､B ともに名詞がきます。

We named [our dog] [Taro].　（私たちは私たちの犬をタローと名づけました。）

\\\\これだけは覚えよう//

- **call (A) (B)**　「(A) を (B) と呼ぶ」
- **name (A) (B)**　「(A) を (B) と名づける」

私たちは彼をマックスと呼びます。

私たちは	彼を	マックス	と呼びます。
私の兄は	私を	ヒロ	と呼びます。
どうぞ	私を	クリス	と呼んでください。

私たちは	私たちの犬を	タロー	と名づけました。
ジョンは	自分の息子を	ケンタ	と名づけました。

表現を増やそう

□ cheerful	明るい	□ funny	おもしろい
□ naughty	いたずらな	□ gentle	穏やかな
□ shy	内気な	□ smart	賢い
□ easygoing	おおらかな	□ active	活発な
□ talkative	おしゃべりな	□ patient	我慢強い

豆知識

疑問詞を使って「これは何と呼びますか？」と聞くことがあります。

Q : What do you call this flower in English?（この花を英語で何と呼びますか？）

A : We call it a rose.（私たちはそれをバラと呼びます。）

7 動詞 make の使い方
「A を B の状態にする」

基本例文 Her smile makes me happy.

現在形

Her smile	makes me	happy.

過去形

This game	made	us	excited.
This news		him	sad.
That movie		her	famous.
Bob		Mary	angry.

ポイント < make A + B>「A を B（の状態）にする」

語順で大切な点は、「A は B である」という意味上のつながりです。

解説

(1) make［A 名詞］［B 形容詞］「A を B（の状態）にする」

Her smile makes me happy.　（彼女の笑顔は私を幸せにします。）

［A 名詞］ me　［B 形容詞］ happy

B には気持ちや状態を表す形容詞がきます。

注意しよう！

Bob made Mary angry.　（ボブはメアリーを怒らせました。）

［A 名詞］ Mary　［B 形容詞］ angry

make は、B が名詞か形容詞かで意味が変わります。

(2) make［A 名詞］［B 名詞］「A に B を作ってあげる」

Bob made Mary dinner.　（ボブはメアリーに夕食を作ってあげました。）

［A 名詞］ Mary　［B 名詞］ dinner

＼＼これだけは覚えよう／／

・make（A）（B）　「（A）を（B）の状態にする」
「（A）に（B）を作ってあげる」

彼女の笑顔は私を幸せにします。

彼女の笑顔は	私を	幸せにします。

この試合は	私たちを	興奮させました。
この知らせは	彼を	悲しませました。
あの映画は	彼女を	有名にしました。
ボブは	メアリーを	怒らせました。

表現を増やそう

□ happy	幸せな	□ annoyed	いらいらして
□ excited	興奮した	□ worried	心配して
□ sad	悲しい	□ bored	うんざりして
□ famous	有名な	□ afraid	怖がって
□ angry	怒っている	□ disappointed	がっかりして

知識

< make A + B >で、B に「動詞の原形」がくることがあります。

My mother [made] me [clean] my room.（母は私に自分の部屋を掃除させました。）

make　(A)　(B)　　A に [B させる]
　　　名詞　動詞の原形

この文を使役動詞の文と呼びます。

8 動詞 help, let の使い方

「（人）が～するのを手伝う」「（人）に～させる」

基本例文 I helped Mary carry her books.

help（～を手伝う）

I helped Mary	carry her books.
Eri helped John	make this video.

let（～させる）

Let me	take some pictures. show you some examples. think about it.

ポイント <help A(人)＋B(動詞の原形)>「AがBするのを手伝う」

<let A(人)＋ B(動詞の原形)> 「AにBさせる」

動詞の後ろは、「AはBである」と考えることがポイントです。

解説

（1）< help ＋ A ＋ B >「A が B するのを手伝う」

B には動詞の原形がきます。語順で大切な点は、「A は B である」という意味上のつながりです。

I helped [Mary] [carry] her books .（私はメアリーが本を運ぶのを手伝いました。）

（2）< let ＋ A ＋ B >「A に B させる」

Let [me] [take] some pictures.　（私に何枚か写真を撮らせてください。）

< let me ＋動詞の原形>なので、「私に～させてください」になります。

let は「（したいように）～させる・許す」という意味の動詞です。

＼＼これだけは覚えよう／／

- help (人) 動詞の原形　「（人が）～するのを手伝う」
- let (人) 動詞の原形　「（人に）～させる」

私は、メアリーが本を運ぶのを手伝いました。

私は	メアリーが本を運ぶのを	手伝いました。
エリは	ジョンがこの動画を作るのを	手伝いました。

私に	何枚か写真を	撮らせてください。
	いくつかの例を	示させてください。
	それについて	考えさせてください。

表現を増やそう

She helped me〔彼女は手伝ってくれた〕
- □ carry my bags.〔私がカバンを運ぶのを〕
- □ do my homework.〔私が宿題をするのを〕
- □ make this video.〔私がこの動画を作るのを〕
- □ find my purse.〔私が自分の財布を探すのを〕
- □ clean my room.〔私が自分の部屋を掃除するのを〕

豆知識

ここで大切なことは、「A（私）がBする」という、意味上のつながりです。

Let me take some pictures.
　　A　B
「AがBする」:「私が何枚か写真を撮る」

Bを原形不定詞と呼びますが、ここでは便宜上「動詞の原形」と呼びます。

9 命令、勧誘の文
「～しないで」「～しましょう」

基本例文 Don’t open the door.

Don’t	open the door. run. be shy.
Let’s	go home. dance together.

ポイント <Don’ t ＋動詞の原形>「～しないで（ください）」
< Let’ s ＋動詞の原形>「～しましょう」
命令文は、主語を使わずに、動詞で文を始めるだけです。

解説

今回は「～しないで（ください）」という否定の命令文についてお話しします。ルールは1つです。命令文の前にDon't をつけるだけです。

命令文 Open the door.　（ドアを開けなさい。）

否定文 Don't open the door.　（ドアを開けないでください。）

Please don't open the door. とも言えます。

次に、「～しましょう」と誘ったり、提案するときにはLet's を使います。Let's の後は動詞の原形です。

Go home. → Let's go home.
（家に帰りなさい。）（家に帰りましょう。）

let's は let us の省略形です。
「（私と一緒に）～しましょう」という意味になります。

これだけは覚えよう

・Don't ～.	「～しないで（ください）」
・Let's ～.	「～しましょう」

ドアを開けないで（ください）。

ドアを開けないで（ください）。
走らないで（ください）。
恥ずかしがらないで（ください）。

家に帰りましょう。
一緒に踊りましょう。

表現を増やそう < Don't be ～の文 >

□ Don't be shy.	恥ずかしがらないで（ください）。
□ Don't be noisy.	騒がないで（ください）。
□ Don't be silly.	ばかなことをしないで（ください）。
□ Don't be rude.	失礼なことをしないで（ください）。
□ Don't be late for the meeting.	会議に遅れないで（ください）。

豆知識

be 動詞で始まる命令文もあります。

命令文	Be kind to everyone.	（みんなに親切にしなさい。）
否定の命令文	Don't be noisy.	（騒がないでください。）

7章 いろいろな構文

10 How ～！ What a ～！の感嘆文
「なんて～！」

基本例文 How lucky you are!

How	lucky	you are!
	beautiful	this picture is!
	fast	he runs!

What	a beautiful picture	this is!
	a smart boy	he is!

ポイント
<How ＋形容詞〔副詞〕＋主語＋動詞！>
「なんて～でしょう！」
<What ＋（a /an）＋形容詞＋名詞＋主語＋動詞！>
「なんて～な…でしょう！」
「うわ、すごい！」と思った部分を文の最初に出します。

解説
感激・喜び・驚きを表すときに使う文を**感嘆文**といいます。

(1) ＜ How を使った感嘆文＞

You are very lucky.（あなたはとてもラッキーです。）

How lucky you are!
形容詞 主語 動詞

very を見ます。very を How に代えて、文の最初におきます。「すごい、ラッキー！」

(2) ＜ What を使った感嘆文＞

This is a very beautiful picture.（これはとても美しい写真です。）

What a beautiful picture this is!
形容詞 名詞 主語 動詞

「very ＋形容詞＋名詞」のときは very を What に代えて、文の最初におきます。「すごい、キレイな写真！」

＼＼これだけは覚えよう／／

・How ～！　「なんて～でしょう！」

・What a ～ 名詞 …！　「なんて～な 名詞 でしょう！」

なんてあなたはラッキーなのでしょう！

あなたは	なんてラッキーなのでしょう！
この写真は	なんて美しいのでしょう！
彼は	なんて速く走るのでしょう！

これは	なんて美しい写真なのでしょう！
彼は	なんて賢い少年なのでしょう！

表現を増やそう　＜How ～！　What a ～！の文＞

- □ How delicious (this cake is)！　なんて（このケーキは）おいしいのでしょう！
- □ How kind (you are)!　なんて（あなたは）親切なのでしょう！
- □ How beautiful (this photo is)　なんて（この写真は）美しいのでしょう！
- □ What a nice bag (you have)!　なんてすてきなカバン（をあなたは持っているの）でしょう！

※何について話しているのかがわかっているときには「主語＋動詞」を省略することができます。

豆知識

副詞（fast）のときには、How を使います。

John runs very fast.

How fast John runs!

（なんて速くジョンは走るのでしょう！）

very fast の副詞の部分も「なんて速く」と表すことができます。「すごい、速い！」

書き換えられる表現

❶ enough の使い方

(1) enough ＋名詞「十分な（名詞）」

I didn't have enough time to watch TV.

（私はテレビを見るための十分な時間がありませんでした。）

(2) 副詞／形容詞＋ enough「十分に（副詞 / 形容詞）」

You slept long enough.

（私は十分に長く寝ました。）

The room is big enough for ten students.

（この部屋は 10 人の生徒にとっては十分に大きいです。）

(3) enough to ...の使い方／ so ～ that ... との書き換え

＜～ enough to ＋動詞の原形＞「…するには十分～です」

She was kind **enough to** carry my bags.

（彼女は荷物を運んでくれるほど十分親切でした。）

（→　彼女は親切にも私のカバンを運んでくれました。）

↓　別の表現でも言えます。

She was **so** kind **that** she carried my bags.

（彼女はとても親切なので、私のカバンを運んでくれました。）

＜ so ～ that ...＞「とても～なので…です」

This question is **so** easy **that** you can answer it.

（この問題はとても簡単なので、あなたは解くことができます。）

This question is easy **enough for** you **to** answer.

（この問題は、あなたが解くには十分簡単です。）

[for you] が to answer の**意味上の主語**になっています。

❷ 接続詞を使ったお決まりパターン「命令文 , and, or」

(1) 命令文は、主語を使わずに、動詞で文を始めるだけです。

ポイント　＜動詞から始める＞「～しなさい」

Come here.（ここに来なさい。）

Come here.
やさしく言うか、
強く言うかです。

命令文が使われるのは、「命令」するときだけではありません。使われる場面や口調によって、感じ方は大きく変わります。怒って、大きな声で Come here! と言えば「こっちに来い！」と強い命令に、やさしい声で Come here. と言えば「こっちにおいで。」とやさしく聞こえます。

Please を使うと、命令の調子を和らげることができます。

Please stand up.　　（どうぞ、お立ちください。）

Stand up, please.

最後に please をつける
ときには、カンマ（,）
をつけます。

(2) 命令文の後に、and / or を続けることができます。

＜命令文＋ , and ～＞「…しなさい、そうすれば～」

Get up early tomorrow, and you will have time to eat breakfast.

（明日は早く起きなさい。そうすれば、朝食を食べる時間があるでしょう。）

＜命令文＋ , or ～＞「…しなさい、そうしないと～」

Take a taxi, or you will miss the train.

（タクシーに乗りなさい。そうしないと、電車に乗り遅れるでしょう。）

8章

いろいろな疑問詞

1 What の疑問文
「何？」

基本例文 What is this?

What + be 動詞／一般動詞〜

What	is this? do you want?

What + 名詞〜

What time What color	is it? does she like?

ポイント <What is 〜？>　　「〜は何ですか？」
<What do you 〜？>　　「あなたは何を〜しますか？」
「〜は何ですか？」は、What 〜？を使い、It is 〜．で答えます。

解説

What は「何」という意味で、文の最初で使います。「何」と聞かれたら、それが何かを具体的に答えます。そのときには Yes や No を使いません。

(1) be 動詞の文

疑問文 Is this [a book]?　（これは本ですか？）
↓　↑ここをたずねるために、what（何）を使います。
Is this [what]?
what は文の最初におきます。
[What] is this?（これは何ですか？）

What is の短縮形は What's で表せます。

答え方 It is a camera.（カメラです。）
It is 〜．（それは〜です。）　主語は It を使います。

\\ これだけは覚えよう //

・What is ～？　「～は何ですか？」
・What do you ～？　「あなたは何を～しますか？」

これは何ですか？

これは	何ですか？
あなたは	何がほしいですか？

（今）	何時ですか？
彼女は	何色が好きですか？

表現を増やそう　<時刻・曜日のたずね方と答え方>

□ What time is it?	何時ですか？	□ What day is it?	何曜日ですか？
It's ten.	10時です。	It's Monday.	月曜日です。
It's ten o'clock.	10時です。	□ What date is it?	何日ですか？
It's ten thirty.	10時半です。	It's May 1st.	5月1日です。

※時間・曜日を答えるときは、It を使います。

(2) 一般動詞の文

疑問文　Do you want [some coffee]?（コーヒーを飲みたいですか？）

↓　↑ここをたずねるときに、what (何) を使います。

Do you want [what]?（コーヒーを飲みたいですか？）

what は文の最初におきます。

[What] do you want?（あなたは何を飲みたい〔ほしい〕ですか？）

答え方　I want some coffee.（コーヒーがほしいです。）

2 Who の疑問文

「誰？」

基本例文 **Who is that man?**

be 動詞の文

Who	is that man? are they?

一般動詞の文

Who	teaches English? wrote this letter?

ポイント　<Who is ～？>　「～は誰ですか？」

<Who+ 一般動詞 ～？>　「誰が～しますか？」

「～は誰ですか？」は、Who ～？を使い、He / She is ～．で答えます。

解説

Who は「誰」という意味で、文の最初で使います。「あの男性は誰ですか？」と、「人」についてたずねるときは who を使います。

(1) be 動詞の文

疑問文　Is that man [Bob]?　（あの男性はボブですか？）

↓↑ここをたずねるために who（誰）を使います。

Is that man [who]?

who は文の最初におきます。

[Who] is that man?　（あの男性は誰ですか？）

答え方　He is Bob.　（彼はボブです。）

「誰」と聞かれたら、誰なのかを具体的に答えます。Yes や No は使いません。

これだけは覚えよう

- Who is ～？ 「～は誰ですか？」
- Who + 一般動詞 ～？ 「誰が～しますか？」

あの男性は誰ですか？

あの男性は 彼らは	誰ですか？

誰が	英語を教えていますか？ この手紙を書きましたか？

表現を増やそう ＜ Whose（誰の）を使った表現＞

□ **Whose bag is this?** これは誰のカバンですか？

bike	自転車	**It's mine.**	それは私のものです。
pen	ペン	**It's Ken's.**	それはケンのものです。
jacket	ジャケット		

(2) 一般動詞の文

肯定文 Mr.Kato teaches English. （加藤先生は英語を教えています。）

↓ ↑ ここをたずねるために who（誰）を使います。

疑問文 Who teaches English? （誰が英語を教えていますか？）

答え方 Mr.Kato does. （加藤先生です。）

「誰が～しますか？」の答え方

現在形：主語が I、You のとき do を使います。

主語が He、She のとき does を使います。

過去形：すべての主語に対して did を使います。

3 Which の疑問文

「どちら？」「どれ？」

基本例文 Which is your bag?

be 動詞の文

Which	is your bag?
Which story	is very old?

一般動詞の文

Which	do you like, tea or coffee?
Which season	do you like, summer or winter?

ポイント

<Which is ～?> 「～はどちら（どれ）ですか？」

<Which is ～, A or B?>「A か B、どちらが～ですか？」

「～はどちらですか？」は、Which ～？を使います。

解説

Which は「どちら」という意味で、文の最初で使います。「A と B、2つのうちどちら？」とたずねたいときには、文の最後に<, A or B>をつけます。

(1) be 動詞の文

疑問文 Which is your bag? （どちらがあなたのカバンですか？）

答え方 This is mine. （これが私のものです。）

「A か B か」のように範囲が決まっているときは Which です。

(2) 一般動詞の文

疑問文 Which do you like, tea or coffee? （紅茶かコーヒー、どちらが好きですか？）

答え方 I like tea. （私は紅茶が好きです。）

これだけは覚えよう

- **Which is ～？** 「どちらが～ですか？」
- **Which is ～ , A or B?** 「A か B、どちらが～ですか？」

どちらがあなたのカバンですか？

どちらが	あなたのカバンですか？
どちらの物語が	とても古いですか？

紅茶かコーヒー、	あなたはどちらが好きですか？
夏か冬、	あなたはどちらの季節が好きですか？

表現を増やそう

□ water	水	□ soda	ソーダ
□ hot water	お湯	□ juice	ジュース
□ tea	紅茶	□ cocoa	ココア
□ green tea	緑茶	□ smoothie	スムージー
□ coffee	コーヒー	□ coke	コーラ

豆知識

＜Which ＋名詞＞

Which game do you like best?（どのゲームがあなたはいちばん好きですか？）

＜Which ＋名詞＞を使うことで「どの～が…ですか？」となります。

※ which が使われるのは、限られた選択肢から選ぶときです。たとえば、目の前にあるいくつかのゲームからどれが好きなのかを相手に聞くときです。

4 When の疑問文
「いつ？」

基本例文 When is your birthday?

be 動詞の文

When	is your birthday?

一般動詞／助動詞の文

When	do you play tennis? did you come here? can I see you?

ポイント　<When is ～？>　「～はいつですか？」
<When do you ～？>　「いつあなたは～しますか？」
「～はいつですか？」は、When ～？を使い、It is ～．で答えます。

解説

(1) be 動詞の文

疑問文　When is your birthday?　（あなたの誕生日はいつですか？）

答え方　It's July 11.　（7月11日です。）

Wh- の後は、疑問文の形をとります。

(2) 一般動詞の文

肯定文　You play tennis on Sunday.　（あなたは日曜日にテニスをします。）

↓ ↑ここをたずねるために when（いつ）を使います。

疑問文　Do you play tennis when?

when を文の最初におきます。

When do you play tennis?　（あなたはいつテニスをしますか？）

答え方　I play tennis on Sunday.　（日曜にテニスをします。）

\\ これだけは覚えよう //

- When is ～? 「～はいつですか？」
- When do you ～? 「いつ～しますか？」

あなたの誕生日はいつですか？

あなたの誕生日は　いつですか？

	あなたは	テニスをしますか？
いつ	あなたは	ここに来たのですか？
	私は	あなたに会うことができますか？

表現を増やそう

□ day	日中	□ evening	夕方・夜
□ night	夜	□ midnight	真夜中
□ morning	午前	□ early morning	早朝
□ noon	正午	□ after dinner	夕食後
□ afternoon	午後	□ all day	一日中

豆知識

時間帯を表すことばを使った例

- I usually play tennis in the morning.　（私はたいてい午前中にテニスをします。）
- I played tennis in the afternoon.　（私は午後テニスをしました。）
- I will play tennis after school.　（私は放課後テニスをする予定です。）

evening は「夕方から午後８時ごろ」
night は「日没から深夜」を指します。

8章 いろいろな疑問詞

5 Whereの疑問文

「どこ？」

基本例文 Where is my bag?

be動詞の文

Where	is my bag?

一般動詞／助動詞の文

Where	do you live? did you go last Sunday? can we play tennis?

ポイント ＜Where is ～？＞　「～はどこですか？」

＜Where do you ～？＞「どこであなたは～しますか？」

「～はどこですか？」は、Where ～？を使い、It is ～．で答えます。

解説

my bagの部分を他の名詞に変えて、いろいろな疑問文を作れます。

(1) be動詞の文

疑問文 Where is my bag?　（私のカバンはどこにありますか？）

答え方 It is under the table.　（テーブルの下にあります。）

(2) 一般動詞の文

肯定文 You live in Tokyo.　（あなたは東京に住んでいます。）

↓　↑ここをたずねるために、where（どこで）を使います。

疑問文 Do you live where?

where は文の最初におきます。

Where do you live?　（あなたはどこに住んでいますか？）

答え方 I live in Tokyo.　（私は東京に住んでいます。）

\\ これだけは覚えよう //

・Where is ～？　「～はどこですか？」
・Where do you ～？　「どこで～しますか？」

私のカバンはどこですか？

私のカバンは　どこですか？

どこに　あなたは　住んでいますか？
　　　　あなたは　先週の日曜に行きましたか？
　　　　私たちは　テニスをすることができますか？

表現を増やそう

□ at school	学校で	□ in the park	公園で
□ on the table	テーブルの上に	□ in Tokyo	東京で
□ on the wall	壁に	□ to school	学校へ
□ under the bed	ベッドの下に	□ to the station	駅へ

豆知識

「どこですか？」と質問されたときの、場所の答え方

「～の上」「～の下」などのように答えます。

・It's on / under the desk.（それは机の上に／下にあります。）

〔at は地点〕	〔on は何かの表面〕	〔in は囲まれた空間〕
at home	on the desk	in the park
（家に）	（机の上に）	（公園に）

8章 いろいろな疑問詞

6 Whyの疑問文
「なぜ？」

基本例文 Why is he busy?

be動詞の文

Why	is he busy?

一般動詞の文

Why	do you study English? does he want to go abroad? did Ken go to the bank?

ポイント <Why is ～？>　「なぜ～ですか？」
<Why do you ～？>　「なぜあなたは～しますか？」
「なぜ～ですか？」は、Why ～？を使います。

疑問文の最初にWhyをおくだけ。

解説

理由をたずねる疑問文は、<Why ＋疑問文>で作ることができます。

(1) be動詞の文

疑問文 Is he busy?　（彼は忙しいですか？）
Why is he busy?　（なぜ彼は忙しいのですか？）
答え方 Because he has a lot of homework.
（なぜなら宿題がたくさんあるからです。）

(2) 一般動詞の文

疑問文 Do you study English?　（あなたは英語を勉強しますか？）
Why do you study English?　（なぜあなたは英語を勉強するのですか？）
答え方 To study abroad.　（海外で勉強するためです。）

\\ これだけは覚えよう //

・**Why is ～？**　「なぜ～ですか？」
・**Why do you ～？**　「なぜ～するのですか？」

なぜ彼は忙しいのですか？

なぜ	彼は	忙しいのですか？

なぜ	あなたは	英語を勉強するのですか？
	彼は	海外に行きたいのですか？
	ケンは	銀行に行ったのですか？

表現を増やそう

□ in 2024	2024年に	□ at six	6時に
□ in April	4月に	□ at night	夜に
□ in the morning	午前中（に）	□ on Sunday	日曜日に
□ in the afternoon	午後（に）	□ on April 1st.	4月1日に

※特定の日はonで表します。

豆知識

Whyを使う疑問文には2種類の答え方があります。

(1) becauseを使って答えます。

(2) 不定詞の副詞的用法を使って答えることもあります。

to do～で「～するために」という意味です。

8章 いろいろな疑問詞

7 How の疑問文 (1)
様子・状況・方法など

基本例文 How is the weather?

be 動詞の文

How	is the weather? was your weekend?

一般動詞の文

How	do you go to school? did you come here?

ポイント <How is ～?>　「～はどうですか？」
<How do you ～?>「どのようにしてあなたは～しますか？」
「どう？」と、様子や感想をたずねるときは、How ～？を使います。

解説

How are you?「お元気ですか？」という日常のあいさつは、文字通りには「あなた（の調子）はどうですか？」という意味の疑問文です。

(1) be 動詞の文

疑問文　How is the weather?　（天気はどうですか？）
答え方　It is sunny.　（晴れています。）

be 動詞で聞かれたら、答えるときは be 動詞（is）を使います。

(2) 一般動詞の文

疑問文　How do you feel?　（気分はどうですか？）
答え方　I feel fine.　（元気です。）

\\これだけは覚えよう//

・**How is ～？** 「～はどうですか？」

・**How do you ～？** 「どのように～しますか？」

天気はどうですか？

天気は　どうですか？

あなたの週末は　どうでしたか？

どのようにして　あなたは学校に行きますか？
あなたはここに来ましたか？

表現を増やそう

□ by car	車で	□ in his car	彼の車で
□ by bike	自転車で	□ on my bike	私の自転車で
□ by bus	バスで	□ on the last bus	最終バスで
□ by train	電車で	□ on the first train	始発の電車で
□ by plane	飛行機で	□ on foot	歩いて

豆知識

How は「どのように？」と、方法をたずねるときにも使います。

疑問文 How do you go to school?（あなたはどのようにして学校へ行きますか？）

答え方 By bus.（バスで（行きます）。）

8章 いろいろな疑問詞

8 How の疑問文 (2)
年令・値段・数量など

基本例文 How old is your brother?

be 動詞の文

How old	is your brother?
How much	is this jacket?

一般動詞の文

How long	do you study English every day?
How many books	do you have?

ポイント <How + 1語>「どれくらい〜?」

Howの後ろにもう1語を加えて、いろいろな文を作ることができます。

解説

(1) How old 〜?「何才?」

疑問文 How old are you? (あなたは何才ですか?)

答え方 I am thirteen years old. (13才です。)

「年令」「(建物や物の) 古さ」などをたずねるときに使います。

(2) How much 〜?「いくら?」

疑問文 How much is this jacket? (このジャケットはいくらですか?)

答え方 It is 5,000 yen. (5,000円です。)

「時間」「物の長さ」などをたずねるときに使います。

(3) How long 〜?「どのくらい長く〔長い〕?」

疑問文 How long do you study English every day?

(あなたはどのくらい英語を毎日勉強しますか?)

答え方 One hour. (1時間です。)

\\これだけは覚えよう//

- How old is ～？　「～は何才ですか？」
- How long do you ～？　「どのくらい～しますか？」

あなたの弟は何才ですか？

あなたの弟は　何才ですか？

このジャケットは　いくらですか？

あなたは　どのくらい（の時間）、英語を毎日勉強しますか？

あなたは　何冊の本を　持っていますか？

表現を増やそう　＜How many で始まる疑問文＞

- □ How many students are there?　何人の生徒がいますか？
- □ How many books do you have?　何冊の本をあなたは持っていますか？
- □ How many pictures did you take?　何枚の写真をあなたは撮りましたか？
- □ How many days will you work?　何日あなたは働くつもりですか？

(4) How many ＋名詞の複数形～？「いくつ？」「何人？」

疑問文　How many books do you have?（あなたは本を何冊持っていますか？）

答え方　I have over one hundred (books).（私は 100 冊以上持っています。）

疑問文　How many times have you been to Okinawa?

（あなたは沖縄に何回行ったことがありますか？）

答え方　I have been there five times.（私はそこに５回行ったことがあります。）

8章　いろいろな疑問詞

9 間接疑問文 (1)

基本例文 I know who that boy is.

I know He knows	who that boy is. what she likes. where she was. when she will go to Tokyo.

ポイント <I know ＋疑問詞＋主語＋動詞>

「私は～を知っています」

文中の疑問詞の後は＜主語＋動詞＞の語順です。

解説

who や where などの疑問詞を使った文が文中に入った形についてお話しします。

(1)「疑問詞＋主語＋ be 動詞」

肯定文	I know	（私は知っています）
疑問文	＋ Who is that boy?	（あの少年は誰ですか？）
↓ 間接疑問文	I know who that boy is.	（私はあの少年が誰かを知っています。）

I know で始まる文は肯定文なので、後ろの語順も＜主語＋動詞＞の語順に変えます。疑問詞 who の後ろは、＜主語＋動詞＞という普通の語順になります。

動詞の形は主語に合わせます。

\\\\ これだけは覚えよう //

・I know who ～　「私は～が誰かを知っています」

私はあの少年が誰かを知っています。

私は 彼は	あの少年が誰か 彼女が何を好きか 彼女がどこにいたのか 彼女がいつ東京へ行く予定か	を知っています。

表現を増やそう　<I know 疑問詞 to do の例>

□ I know
〔私は～を知っています〕 ＋

- how to ski.〔スキーの仕方〕
- what to play.〔何を演奏すべきか〕
- when to begin.〔いつ始めるべきか〕
- where to go.〔どこへ行くべきか〕

(2)「疑問詞＋主語＋一般動詞」

肯定文　I know　（私は知っています）

疑問文　＋　Where does he live?　（彼はどこに住んでいますか？）

↓　↓

間接疑問文　I know where he lives.　三単現の s を忘れずに！

（私は彼がどこに住んでいるのかを知っています。）

10 間接疑問文 (2)

基本例文 I don't know who that man is.

否定文

I don't know	who that man is. what she said.

疑問文

Do you know	where she is? when he left Japan?

ポイント <I don't know ＋疑問詞＋主語＋動詞>

「私は～を知りません」

否定文でも疑問文でも、文中の疑問詞の後は＜主語＋動詞＞の語順です。

解説

who や where などの疑問詞を使った文が文中に入った形についてお話しします。今回は、否定文と疑問文です。

(1)「疑問詞＋主語＋ be 動詞」

否定文　I don't know　（私は知りません）

疑問文　＋ Who is that boy?　（あの男の子は誰ですか？）

↓

間接疑問文　I don't know who that boy is.（私はあの男の子が誰かを知りません。）

I don't know で始まる否定文なので、後ろの語順も＜主語＋動詞＞に変えます。疑問詞 who の後ろは、＜主語＋動詞＞の語順になります。

これだけは覚えよう

・I don't know who ～ .「私は～が誰かを知りません」

私はあの男性が誰かを知りません。

私は	あの男性が誰か 彼女が何と言ったのか	を知りません。

あなたは	彼女がどこにいるか 彼がいつ日本を出発したか	を知っていますか？

表現を増やそう　<I don't know 疑問詞 to do の例>

□ I don't know〔私は～を知りません〕	＋	how to swim.	〔泳ぎ方〕
		what to do.	〔何をすべきか〕
		when to begin.	〔いつ始めるべきか〕
		where to go.	〔どこへ行くべきか〕

(2)「疑問詞＋主語＋一般動詞」の文

疑問文　Do you know?　（あなたは知っていますか？）

疑問文　＋ Where does he live?　（彼はどこに住んでいますか？）

↓　↓

間接疑問文　Do you know where he lives ?

3単現の s を忘れずに！

（あなたは彼がどこに住んでいるのかを知っていますか？）

否定文でも、疑問文（Do you~?）でも、文中の wh- の後の文は<主語＋動詞>の語順です。

いろいろな疑問詞

「何？」をたずねるときはWhatを使いました。このWhatを疑問詞といいます。疑問詞をここでは他に4つ紹介します。

(1) Which（どちら） Which is Mary? （どちらがメアリーですか？）
(2) Who（誰） Who is Bob? （ボブとは誰ですか？）
(3) When（いつ） When is your birthday? （あなたの誕生日はいつですか？）
(4) Where（どこに） Where is John? （ジョンはどこにいますか？）

ルール：疑問詞は、いつも文の最初におきます。

疑問詞・主語・動詞を他の単語にかえて、何種類も文が作れるようになります。

You live in Tokyo. （あなたは東京に住んでいます。）

Where do you live? （あなたはどこに住んでいますか？）

他の例を見てみましょう。

What（何を） When（いつ） Where（どこで）	did	you（あなたは） he（彼は） they（彼らは）	do？（しましたか？） buy the bag?（その本を買いましたか？） see Bob?（ボブに会いましたか？）

＜ Whatを使った例＞

(1) 昨日したことについて会話できます。

A: What did you do yesterday?

（あなたは昨日、何をしましたか？）

B: I played basketball. （私はバスケットボールをしました。）

A: Did you play basketball in the gym?

（体育館でバスケットボールをしましたか？）

B: No, I didn't. I played in the park. （いいえ。私は公園でしました。）

A: Did you visit the museum yesterday?

（あなたは昨日、博物館に行きましたか？）

B: Yes, we did. / No, we didn't.

（はい、行きました。／いいえ、行きませんでした。）

(2) 昨日したことについて、たずね合いましょう。

A: What did you do yesterday? （あなたは昨日、何をしたのですか？）

B: (   )

現在形では、動詞に s を
つけることを忘れずに。

＜主語が3人称単数のとき＞

疑問文では、doesを使います。

A: What does he make? （彼は何を作りますか？）

B: He makes cookies. （彼はクッキーを作ります。）

A: What does this mean? （これは何を意味しますか？）

B: It means no parking. （それは駐車禁止を意味します。）

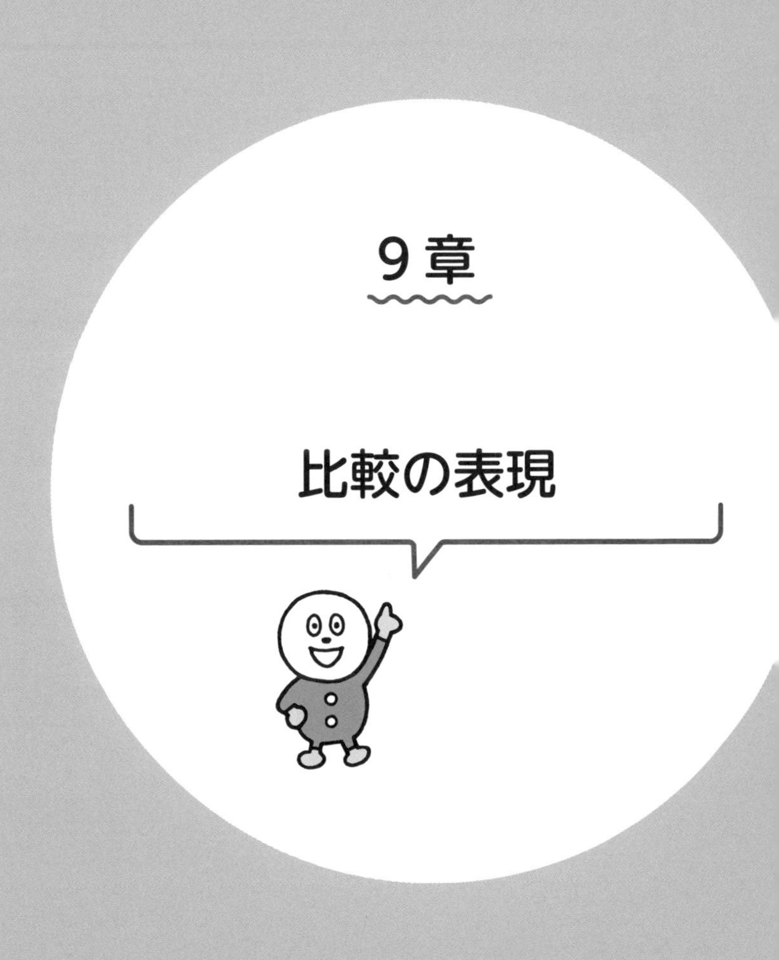

9章

比較の表現

1 比較級の文（1）

「A は B よりも〜です」

基本例文 Bob is taller than Tom.

be 動詞の文

Bob is	taller	than his mother.
	shorter	than his brother.

一般動詞の文

I study	harder	than my brother.
Mike runs	faster	than Bob.

ポイント <A is -er than B >「A は B よりも（もっと）〜です」

「もっと〜」は語尾に -er、「B よりも」は than B で表します。

解説

2人、2つを比べるときには、形容詞や副詞の語尾に -er をつけます。英語では、「背が高い」は tall です。誰かと比べて「もっと背が高い」と言うときには、tall に er をつけて taller にします。これを**比較級**といいます。

「ボブはトムよりも（もっと）背が高いです。」

(1) Bob is tall.　（ボブは背が高いです。）

比較する文を作る。

(2) Bob is taller.　（ボブはもっと背が高いです。）

比較する部分（tall）を比較級（taller）に変える。

(3) Bob is taller than Tom.

文末に「トムよりも（than Tom）」をつける。

これで完成！

＼＼これだけは覚えよう／／

・A is -er than B.　「AはBよりも～です」

ボブはトムよりも背が高いです。

ボブは	母親よりも 弟よりも	背が高いです。 背が低いです。
私は マイクは	私の弟よりも ボブよりも	熱心に勉強します。 速く走ります。

表現を増やそう

原級		比較級	最上級
□ tall	（背が）高い	□ taller	□ tallest
□ short	（背が）低い	□ shorter	□ shortest
□ hard	熱心に	□ harder	□ hardest
□ fast	速く	□ faster	□ fastest

豆知識

Q : Tomの後ろのisは省略するの？　それとも省略しないの？

Bob is taller **than** Tom (is).

A : than以降の文章で前と共通している部分は消してもよいというルールがあります。ここではisが重なっているので省略できます。

2 最上級の文（1）

「Aは…の中で、いちばん〜です」

基本例文 Bob is the tallest in his class.

be動詞の文

John is	the tallest the youngest	in his class. of the three.

一般動詞の文

Meg studies Mike runs	(the) hardest (the) fastest	in her class. in his school.

ポイント <A is the -est in ...>「Aは…の中で、いちばん〜です」

「いちばん〜」は、最上級にtheをつけます。

解説

「あるグループの中で、いちばん〜」と、3人以上、3つ以上のものを比べるには、形容詞や副詞の語尾にestをつけます。「いちばん背が高い」と言うときにはtallにestをつけてtallestにします。これを**最上級**といいます。

「ボブはクラスでいちばん背が高いです。」

(1) Bob is tall.（ボブは背が高いです。）
　比較する文を作る。

(2) Bob is the tallest.（ボブはいちばん背が高いです。）
　tallを最上級（tallest）に変える。

最上級はtheを忘れずに！

(3) Bob is the tallest in his class.
　文末に、範囲を表す「クラスで（in his class）」をつける。

これで完成！

＼＼これだけは覚えよう／／

・A is the -est in ....　「Aは…の中でいちばん～です」

ボブはクラス（の中）でいちばん背が高いです。

ジョンは	クラスで 3人の中で	いちばん背が高いです。 いちばん若いです。

メグは マイクは	クラスで 学校で	いちばん熱心に勉強します。 いちばん速く走ります。

表現を増やそう

＜of＋複数を表す語句＞		＜in＋場所や範囲を表す語句＞	
□ of the three	3人の中で	□ in my class	私のクラス（の中）で
□ of the four	4人の中で	□ in our school	私たちの学校（の中）で
□ of the five	5人の中で	□ in Japan	日本（の中）で
□ of all	すべての中で	□ in the world	世界（の中）で

豆知識

Q : the のつかない最上級はありますか？

A : 最上級が副詞（hardest , fastest）のときです。

Mike runs (the) fastest in his school.

（マイクは学校（の中）でいちばん速く走ります。）

副詞（hard, fast）が最上級のときには、the を省略することがあります。

9章 比較の表現

3 比較級の文（2）

「AはBよりも～です」

基本例文　**Canada is larger than China.**

be動詞の文

Canada	larger		China.
This book is	easier	than	that book.
My cat	bigger		your cat.

一般動詞の文

I get up	earlier	than	my brother.

ポイント　＜-er, -est＞　注意すべき変化

比較級-erの作り方は3種類です。語尾がeとyに注意しましょう。

解説

young → younger → youngestのように、比較級にはer, 最上級にはestをつけます。今回は比較級・最上級の作り方の別の3つのパターンをお話します。

(1) -eで終わる語は、r / stをつける。

large	larger	largest
nice	nicer	nicest

(2) -yで終わる語は、yをiにかえて、er / estをつける。

easy	easier	easiest
early	earlier	earliest

＜y → i + er / est＞です。

(3) 最後の文字を重ねてer / estをつける。

この2つを覚えよう！

big	bigger	biggest
hot	hotter	hottest

＼＼これだけは覚えよう／／

・A is -er than B.　「AはBよりも～です」

カナダは中国よりも大きいです。

カナダは	中国よりも	大きいです。
この本は	あの本よりも	簡単です。
私のネコは	あなたのネコよりも	大きいです。

私は	私の弟よりも	早く起きます。

表現を増やそう

原級		比較級	最上級
□ large	大きい	□ larger	□ largest
□ easy	簡単な	□ easier	□ easiest
□ early	早い	□ earlier	□ earliest
□ big	大きい	□ bigger	□ biggest

豆知識

「今日はいちばん幸せな日」の表し方

Today is the happiest day of my life.　　<happy - happier - happiest>

（今日は私の人生の中でいちばん幸せな日です。）

この他に、y を i にかえて、er/est をつける語は、「忙しい」busy（busier – busiest）、「重い」heavy（heavier - heaviest）などがあります。

4 good,well の比較級、最上級

「〜よりもよい」「〜の中でいちばんよい」

基本例文　**This watch is better than that one.**

be 動詞の文

This watch is	better the best	than that one. of the three.

一般動詞の文

John plays soccer	better (the) best	than I. in his team.

ポイント　＜good / well - better - best＞　比較の不規則な変化

good〔形容詞〕、well〔副詞〕の比較級、最上級は形が同じです。

解説

big → bigger → biggest のように、er / est のつけ方に注意する語がありますが、今回は形がまったく変わる語についてお話します。

(1) good（形容詞：よい）の比較

that one の one は、名詞の繰り返しを避けるための代名詞です。

普通の文　This watch is [good].（この時計はよいです。）

比較級　This watch is [better] than that one (is).（この時計はあの時計よりもよいです。）

最上級　This watch is the [best] of the three.（この時計は3つの中で一番よいです。）

(2) well（副詞：上手に）の比較

普通の文　John plays soccer [well].（ジョンは上手にサッカーをします。）

比較級　John plays soccer [better] than Tom.（ジョンはトムよりも上手にサッカーをします。）

最上級　John plays soccer the [best] in his team.（ジョンはチームの中でいちばん上手にサッカーをします。）

＼＼これだけは覚えよう／／

- A is better than ～.　「A は～よりもよい」
- A is the best of ～.　「A は～でいちばんよい」

この時計はあの時計よりもよいです。

この時計は	あの時計よりも ３つの中で	よいです。 いちばんよいです。

ジョンは	私よりも チームの中で	上手にサッカーをします。 いちばん上手にサッカーをします。

表現を増やそう

原級	比較級	最上級
□ good（よい）	□ better	□ best
□ a good pianist （よいピアニスト）	□ a better pianist （～よりよいピアニスト）	□ the best pianist （～の中でいちばんよいピアニスト）
□ well（上手に）	□ better	□ best
□ dance well （上手に踊る）	□ dance better （～よりも上手に踊る）	□ dance the best （～の中でいちばん上手に踊る）

豆知識

very much の比較　< I like ～ very much >のとき

普通の文　I like winter very much.　（私は冬がとても好きです。）

比較級　I like winter better than summer.　（私は夏よりも冬が好きです。）

最上級　I like winter the best of four seasons.

（私は四季の中でいちばん冬が好きです。）

9章　比較の表現

5 比較級の文（3）

「AはBよりも～です」

基本例文 This question is more difficult than that one.

be動詞の文

This question Soccer	is	more	difficult popular	than	that one. baseball.

一般動詞の文

He speaks John runs	more	slowly quickly	than	her. I.

ポイント <A is more ～ than B>「AはBよりも～です」

more の後ろの単語（B）は、形を変えません。

解説

-er, -est の他に比較級、最上級にはもう一つの表し方があります。difficult、slowly など、つづりの長い形容詞・副詞の比較級・最上級は、その前に **more / most** をつけます。単語そのものは変化させません。

(1)「この問題はあの問題よりも難しいです。」

普通の文 This question is **difficult**.　（この問題は難しいです。）

比較級 This question is **more difficult** than that one.

後ろに「あの問題よりも」という意味の than that one をつける。

(2)「彼は彼女よりもゆっくり話します。」

普通の文 He speaks **slowly**.　（彼はゆっくり話します。）

比較級 He speaks **more slowly** than her.

後ろに「彼女よりも」という意味の than her をつける。

＼これだけは覚えよう／

・A is more ～ than B. 「AはBよりも～です」

この問題はあの問題よりも難しいです。

この問題は	あの問題よりも	難しいです。
サッカーは	野球よりも	人気があります。

彼は	彼女よりも	ゆっくり話します。
ジョンは	私よりも	速く走ります。

表現を増やそう　＊ more、most がつく長い形容詞は **6 文字以上が目安**です。

原級		比較級	最上級
□ difficult	難しい	□ more difficult	□ most difficult
□ interesting	おもしろい	□ more interesting	□ most interesting
□ popular	人気がある	□ more popular	□ most popular
□ slowly	ゆっくり	□ more slowly	□ most slowly

豆知識

相手が早口で聞き取れなかったときには、こう言ってみましょう。

Can you speak **more slowly**?　（もっとゆっくり話してくれませんか？）

I have to practice more.
（もっと練習しなくちゃ）

9章 比較の表現

6 最上級の文（2）

「A は B の中でいちばん〜です」

基本例文 This question is **the most difficult of** all.

be 動詞＋ the most ＋形容詞

This question / This movie is	the most difficult / interesting	of all. / the four.

be 動詞＋ the most ＋形容詞＋名詞

Mary / Soccer is	the most famous singer / popular sport	in Japan. / my town.

ポイント <A is the most 〜 in/of B >

「A は B の中でいちばん〜です」

the most の後ろの単語は、形を変えません。

解説

-er, -est の他に比較級、最上級にはもう一つの表し方があります。difficult、important など、つづりの長い形容詞・副詞の比較級・最上級は、その前に **more / most** をつけます。単語そのものは変化させません。

普通の文 This question is **difficult**.

（この問題は難しいです。）

比較級 This question is **more difficult** than that one.

（この問題はあの問題よりも難しいです。）

最上級 This question is **the most difficult** of all.

（この問題はすべての中でいちばん難しいです。）

最上級のときには、the を忘れないようにしましょう。

これだけは覚えよう

・A is the most ～　in / of B.

「A は B の中でいちばん～です」

この問題はすべての中でいちばん難しいです。

この問題は	すべての中で	いちばん難しいです。
この映画は	4 つの中で	いちばんおもしろいです。

メアリーは	日本で	いちばん有名な歌手です。
サッカーは	私の町で	いちばん人気のあるスポーツです。

表現を増やそう

□ difficult	難しい	□ expensive	高価な
□ interesting	おもしろい	□ beautiful	美しい
□ famous	有名な	□ important	重要な
□ popular	人気のある	□ useful	役に立つ
□ quickly	速く	□ slowly	ゆっくり

豆知識

文の最初に I think を置いて、「いちばん～と思います」という文も作ることができます。

例　I think that Japanese is the **most important** subject.

（国語はいちばん重要な教科だと私は思います。）

of か in かは、p211 の「表現を増やそう」を見ましょう。

7 many, much の比較級、最上級

「Bよりも多くの～」「Bでいちばん多くの～」

基本例文 I have more books than you.

I have He reads	more books	than you. than her.
She had We drink	more money more water in summer	than I. than in winter.

ポイント < many / much - more - most> 比較の不規則な変化

many〔数が多い〕、more〔量が多い〕の比較級、最上級は形が同じです。

解説

<もっと多くの～、もっとたくさんの～>の表し方：

many books（たくさんの本）→ more books（もっとたくさんの本）、

much water（たくさんの水）→ more water（もっとたくさんの水）

「私はあなたよりも（もっと）多くの本を持っています。」

(1) I have many books.　（私は多くの本を持っています。）

比較する文を作る。

(2) I have more books.　（私はもっと多くの本を持っています。）

比較する部分を比較級（more）に変える。「もっと多くの」は1語でmoreです。

(3) I have more books than you.（私はあなたよりももっと多くの本を持っています。）

文末に「あなたよりも（than you）」をつける。

意味	原級	比較級	最上級
「数が多くの」	many	more	most
「量が多くの」	much	more	most

これだけは覚えよう

・A 動詞 more 名詞 than B.

「A は B よりも多くの 名詞 を～します」

私はあなたよりも多くの本を持っています。

私は	あなたよりも　多くの本を	持っています。
彼は	彼女よりも　多くの本を	読みます。
彼女は	私よりも　たくさんお金を	持っていました。
私たちは	冬よりも　夏にたくさん水を	飲みます。

表現を増やそう

原級		比較級	最上級
□ many books	多くの本	□ more books	□ the most books
□ many cars	多くの車	□ more cars	□ the most cars
□ much money	たくさんのお金	□ more money	□ the most money
□ much water	たくさんの水	□ more water	□ the most water

豆知識

money（お金）は、-s がつかない数えられない名詞なので、「たくさんのお金」は much money と表します。

John has much money.　（ジョンはたくさんのお金を持っています。）

John has more money than me.

（ジョンは私よりもたくさんのお金を持っています。）

John has the most money in the world.

（ジョンは世界でいちばんたくさんのお金を持っています。）

8 as ～ as 構文

「A は B と同じくらい～です」

基本例文　Bob is as tall as Tom.

be 動詞の文

Bob is	as tall as Tom.
This watch is	as old as that one.

一般動詞の文

Tom runs	as fast as Bob.
Mary sings	as well as Jane.

ポイント　<A is as + 形容詞［副詞］+ as B >

「A は B と同じくらい～です」

2つのものの程度が「同じくらい～だ」は、as ~ as で表します。

解説

「…と同じくらい～だ」と、2人、2つを比べるときには、「～」〔形容詞や副詞〕を形を変えずに as ~ as で囲みます。

「ボブはトムと同じくらい背が高いです。」

(1) Bob is tall.〔比較するもの〕／　Tom is tall.〔比較されるもの〕

比較するもの（Bob）と、されるもの（Tom）で、それぞれ文を作る。

(2) Bob is as tall as

比較する部分（tall）を as ~ as で囲む。

(3) ～ as Tom is tall

比較されるほうの文を as の後ろにおく。

(4) Bob is as tall as Tom (is tall).

2つの文を合わせて、比較している部分（is tall）を消す。

＼これだけは覚えよう／

・**A is as ～ as B .**　「AはBと同じくらい～です」

ボブはトムと同じくらい背が高いです。

ボブは	トムと同じくらい背が高い	です。
この時計は	あの時計と同じくらい古い	です。

トムは	ボブと同じくらい速く	走ります。
メアリーは	ジェーンと同じくらい上手に	歌います。

表現を増やそう　<ペアで覚える形容詞・副詞>

- □ **tall / short**　高い／低い
- □ **new / old**　新しい／新しい
- □ **fast / slowly**　速く／ゆっくりと
- □ **well / badly**　上手に／下手に
- □ **poor / rich**　貧しい／お金持ちの
- □ **few / many**　少しの／たくさんの
- □ **little / much**　少しの／たくさんの
- □ **quiet / noisy**　静かな／うるさい

豆知識

Q : as の後ろは、I それとも me?

He is as tall as I［または me］.　（彼は私と同じくらいの身長です。）

A : as の後ろが代名詞（I, he, she, you）1語になる場合は、その語が主語であっても目的格（him, her, me）を使うのが普通です。

9 as ～ as 構文の否定文
「A は B ほど～ではない」

基本例文 John is not as tall as his brother.

be 動詞の文

John is not	as tall as Tom.
Mary is not	as young as Jane.
I am not	as rich as you.

助動詞 can の文

I cannot cook	as well as Jack.
I cannot swim	as fast as Bill.

ポイント <A is not as ～ as B >「A は B ほど～ではない」

比較級のようなニュアンスになります。

解説

as ~ as 構文を否定文で使うと、〈 A is not as 原級 as B 〉で、「A は B ほど～ではない」という意味を表します。比較級のようなニュアンスになります。

John is not **as tall as** Tom (is).　（ジョンはトムほど背が高くありません。）

この文は「トムのほうが背が高い」ということを意味します。

I can not cook **as well as** Jack (can).（私はジャックほど上手に料理できません。）

この文は「ジャックのほうが、料理が上手」ということを意味します。

can, is は前半で使われているので、as 以下では省略することができます。

\\ これだけは覚えよう //

・A is not as ～ as B . 「AはBほど～ではありません」

ジョンは彼の弟ほど背が高くありません。

ジョンは	トムほど	背が高くありません。
メアリーは	ジェーンほど	若くありません。
私は	あなたほど	裕福ではありません。

私は	ジャックほど上手に	料理できません。
	ビルほど速く	泳げません。

表現を増やそう ＜ペアで覚える形容詞＞

□ young / old	若い／年を取った	□ dangerous / safe	危険な／安全な
□ rich / poor	裕福な／貧しい	□ cold / hot	冷たい／温かい
□ easy / difficult	簡単な／難しい	□ cool / warm	涼しい／暖かい
□ light / heavy	軽い／重い	□ high / low	高い／低い

豆知識

原級の前にはasの代わりにsoを使うこともできます。

This watch is as good as that one.(is).

（この時計はあの時計と同じくらいよいです。）

This watch isn't as [so] good as that one (is).

（この時計はあの時計ほどよくありません。）

10 比較の疑問文、否定文

「～よりも…ですか？」「～よりも…ではない」

基本例文　Is this shirt smaller than that one?

be 動詞の文

Is this shirt	smaller than that one?

一般動詞、助動詞の文

Can you run	faster than John?
Do you eat	more than Jim?
Did he arrive at school	earlier than her?

ポイント　<Is this ＋比較級？ / Do you ＋動詞の原形＋比較級？>

「…よりも～ですか？」

比較の文でも、語順はbe動詞の疑問文、一般動詞の疑問文と同じです。

解説

(1) be 動詞の文：「このシャツは、あのシャツよりも小さいです。」

肯定文　This shirt is **smaller than** that one.

否定文　This shirt is **not** **smaller than** that one.

疑問文　**Is** this shirt **smaller than** that one?

答え方　Yes, it **is**.（はい、そうです。）No, it **isn't**.（いいえ、違います。）

否定文は、be 動詞の後ろに not をおき、疑問文は、be 動詞を主語の前に出します。

(2) 一般動詞の文：「あなたはジョンよりも速く走ります。」

肯定文　You run **faster than** John.

否定文　You **don't** run **faster than** John.

疑問文　**Do** you run **faster than** John?

答え方　Yes, I **do**.（はい、速く走ります。）No, I **don't**.（いいえ、速く走りません。）

否定文は、don't（doesn't, didn't）を入れて動詞の原形にして、疑問文は文頭に Do（Does・Did）をおきます。

これだけは覚えよう

・**Is A -er than B ?** 「AはBよりも～ですか？」

・**A is not -er than B .** 「AはBよりも～ではない」

このシャツはあのシャツよりも小さいですか？

このシャツは　あのシャツよりも　小さいですか？

あなたは　ジョンよりも速く　走ることができますか？

あなたは　ジムよりも多く　食べますか？

彼は　彼女よりも早く　学校に着きましたか？

表現を増やそう

＜ペアで覚える形容詞＞

□ large, big / small	大きい／小さい	□ heavy / light	重い／軽い
□ early / late	早い／遅い	□ easy / difficult	易しい／難しい
□ high / low	高い／低い	□ fast / slow	速い／遅い
□ hot / cold	暑い／寒い	□ same / different	同じ／違った

知識

※　ここで皆さんに質問です。

Q: Who is the tallest student in your class?

A: I think [　　] is (the tallest student in my class).

Q: What is the most popular anime in Japan?

A: I think [　　] is (the most popular anime in Japan).

「私は～と思う」と言いたいときには、最初に I think をおきましょう。

比較の文の整理

❶ 疑問詞 which・who ＋比較級の疑問文

＜ Which・Who is 比較級, A or B ＞「A と B、どちらが～ですか？」

比較級

(1) ＜物についてたずねる場合＞

[Which] is older, this house or that house?

↑――「もの」は which　（この家とあの家では、どちらが古いですか？）

普通の文　This house is old.　（この家は古いです。）

比 較 級　This house is older than that one.（この家はあの家より古いです。）

比較級の疑問文　A (this house) と B (that house/one)、どちらが～ですか？

「どちらが」は、この家とあの家、「もの」について聞いています。

「もの」を比較する場合、which を使います。

[Which] is older, this house or that one?

(2) ＜人についてたずねる場合＞

[Who] is taller, Kumi or Reiko?（クミとレイコでは、どちらが背が高いですか？）

↑――「人」は who

普通の文　Kumi is tall.　（クミは背が高いです。）

比 較 級　Kumi is taller than Reiko.　（クミはレイコよりも背が高いです。）

比較級の疑問文：A（Kumi）と B（Reiko）、どちらが～ですか？

「どちらが」は、クミとレイコ、「人」について聞いています。

「人」を比較する場合、who を使います。

[Who] is taller, Kumi or Reiko?

❷ 書き換えられる比較表現（1）

「私はトムほど背が高くありません。」

「(主語) は…ほど～ではない」の not as ~ as, not ~ -er than ...を使います。

(1) I am not as tall as Tom.

(2) I am not taller than Tom.

not を使わずに、tall の反対語である short を使ったり、主語を Tom にかえて、表すこともできます。

(1)' I am shorter than Tom.

(2)' Tom is taller than I.

❸ 書き換えられる比較表現（2）

「トムは私たちのクラスの中で、いちばん背が高いです。」

(1) Tom is the tallest in our class .

（トムは私たちのクラスの中で、いちばん背が高い。）

(2) Tom is the tallest boy in our class .

（トムは私たちのクラスの中で、いちばん背が高い少年です。）

(3) Tom is the tallest of all the boys in our class.

（トムは私たちのクラスの全ての少年たちの中で、いちばん背が高いです。）

＊ Tom と No other boy で主語をかえます。

(4) No other boy in our class is taller than Tom.

（私たちのクラスの中の他のどの少年もトムより背が高くありません。）

(5) No other boy in our class is as tall as Tom.

（私たちのクラスの中の他のどの少年もトムほど背が高くありません。）

No other boy とは？

Any other boy in our class is not taller than boy. と考えます。ただし any ~ not の語順は文法的に正しくないので、not ~ any を No に変えます。

10章

関係代名詞、仮定法

1 関係代名詞 who〔主格〕

基本例文 I have a friend who lives in Osaka.

a friend	who lives in Osaka
a student	who is from London
the girl	who is talking with Eri
the man	who wrote this book

ポイント 主格の関係代名詞 who

<人＋ who ＋動詞>「～する [人]」

who 主格：「人」を後ろから説明する文です。

解説

「私には大阪に住んでいる友達がいます。」と言うときに必要なのが**関係代名詞**です。

I have a friend who lives in Osaka.

この文は、もともと次のような２つの文だと考えましょう。

(1) I have a friend.　　(2) The friend lives in Osaka.

メインの文　　「友達」を説明する文

←どんな友達かというと？

人を説明するときには who を使います。

この「どんな友達かというと」を１語で示すのが**関係代名詞 who** です。

(1) I have a friend.　＋　(2) The friend lives in Osaka.

文(1)の a friend と文(2)の the friend は同じ人を指しているので、文(2)の主語 the friend を**関係代名詞 who** におきかえます。

I have a friend who lives in Osaka.

先行詞 a friend の後に関係詞節 who lives in Osaka です。

\\ これだけは覚えよう //

・a friend who ～　　「～する〔～した〕友達」

私には大阪に住んでいる友達がいます。

大阪に住んでいる友達

ロンドン出身の生徒

エリと話している少女

この本を書いた男性

表現を増やそう　　＜一般動詞の変化　AAA 型＞

原形		過去形	過去分詞形
□ cut	～を切る	□ cut	□ cut
□ hit	～を打つ	□ hit	□ hit
□ put	～を置く	□ put	□ put
□ read	～を読む	□ read	□ read
□ spread	～を広げる	□ spread	□ spread

10 章では、重要動詞 50 個を紹介します。

AAA 型	例	cut	cut	cut	「～を切る」
ABA 型	例	become	became	become	「～になる」
ABB 型	例	build	built	built	「～を建てる」
ABC 型	例	begin	began	begun	「～を始める」

豆知識

関係代名詞

先行詞	主格	目的格
人	who	who
もの	which	which
人、もの	that	that

2 関係代名詞 which〔主格〕

基本例文 This is a shop which opened yesterday.

a shop	which opened yesterday
the bus	which goes to the station
the movie	which made him famous
the cake	which was on the table

ポイント　主格の関係代名詞which

<もの＋which ＋動詞>「～する［もの］」

which 主格：「もの」を後ろから説明する文です。

解説

「これは昨日オープンした店です。」と言うときに必要なのが関係代名詞です。

This is a shop which opened yesterday.

この文は、もともと次のような２つの文だと考えましょう。

(1) This is a shop.　　(2) The shop opened yesterday.

メインの文　　「店」を説明する文

←どんな店かというと？

この「どんな店かというと」を１語で示すのが関係代名詞 which です。

(1) This is a shop.　＋　(2) The shop opened yesterday.

文(1)の a shop と文(2)の the shop は同じものを指しているので、文(2)の主語 the shop を関係代名詞 which におきかえます。

This is a shop which opened yesterday.

ものを説明するときには which を使います。

＼＼これだけは覚えよう／／

・a shop which ～　「～する〔～した〕店」

これは昨日オープンした店です。

昨日オープンした店

駅へ行くバス

彼を有名にした映画

テーブルの上にあったケーキ

表現を増やそう　＜一般動詞の変化　ABA型とABB型＞

	原形		過去形	過去分詞形
ABA型	□ become	～になる	□ became	□ become
	□ come	来る	□ came	□ come
	□ run	走る	□ ran	□ run
ABB型	□ build	～を建てる	□ built	□ built
	□ bring	～を持って来る	□ brought	□ brought

豆知識

関係代名詞の文を作るときには、それぞれの文から同じ人や同じものを指している名詞（代名詞）に注意します。

This is a shop which opened yesterday.　（これは昨日オープンした店です。）

A shop which opened yesterday was good.　（昨日オープンした店はよかったです。）

説明したい「もの」の後ろにwhichを追加します。

3　関係代名詞 who〔目的格〕

基本例文　He is a singer who my sister likes.

a singer	who my sister likes
a doctor	who my mother knows
the girl	who we met yesterday
the boy	who you wanted to see

ポイント　目的格の関係代名詞who

<人＋who＋A＋動詞>「Aが～する［人］」

who/that 目的格：「人」を後ろから説明する文です。

解説

「彼は私の妹が好きな歌手です。」と英語で言うときに必要なのが関係代名詞です。

He is a singer who my sister likes.

この文は、もともと次のような2つの文だと考えましょう。

(1) He is a singer.　　(2) My sister likes the singer.

メインの文　　「歌手」を説明する文

←どんな歌手かというと？

My sister likes the singer.
主語＋動詞＋目的語

この「どんな歌手かというと」を1語で示すのが**関係代名詞 who/that**です。

(1) He is a singer.　＋　(2) My sister likes the singer.

文(1)の a singer と文(2)の the singer は同じ人を指しているので、文(2)の目的語 the singer を**関係代名詞 who/that**におきかえます。

He is a singer who my sister likes.

目的格で人を説明するときには who/that を使います。

これだけは覚えよう

・a singer who A + 動詞～　「A が～する〔～した〕歌手」

彼は私の妹が好きな歌手です。

私の妹が好きな歌手

私の母が知っている医者

私たちが昨日会った少女

あなたが会いたかった少年

表現を増やそう

<一般動詞の変化　ABB 型>

原形		過去形	過去分詞形
□ buy	～を買う	□ bought	□ bought
□ feel	感じる	□ felt	□ felt
□ find	～を見つける	□ found	□ found
□ forget	～を忘れる	□ forgot	□ forgot
□ get	～を得る	□ got	□ got

豆知識

特に話し言葉では、目的格の関係代名詞がない形がよく使われます。

関係代名詞（who, that）を使わなくてもよいのは、名詞のすぐあとに「主語＋動詞」がついているときです。

He is a singer (who/that) my sister likes.

（my sister＝主語、likes＝動詞）

↑省略可能です。

関係代名詞

先行詞	主格	目的格
人	who	who
もの	which	which
人、もの	that	that

4 関係代名詞 which〔目的格〕

基本例文 This is the book which I bought yesterday.

the book	which I bought yesterday
the country	which I visited last year
the movie	which I saw yesterday
the painting	which I'd like to see

ポイント　目的格の関係代名詞 which

＜もの＋ which ＋ A ＋動詞＞「A が～する［もの］」

which 目的格：「もの」を後ろから説明する文です。

解説

「これは私が昨日買った本です。」と言うときに必要なのが関係代名詞です。

This is the book which I bought yesterday.

この文は、もともと次のような2つの文だと考えましょう。

(1) This is the book.　　(2) I bought the book yesterday.

メインの文　　　　「本」を説明する文

←どんな本かというと？

この「どんな本かというと」を1語で示すのが**関係代名詞 which** です。

(1) This is the book.　＋　(2) I bought the book yesterday.

文(1)の the book と文(2)の the book は同じものを指しているので、文(2)の目的語 the book を**関係代名詞 which** におきかえます。

This is the book which I bought yesterday.

目的格でものを説明するときにはwhichを使います。

\\ これだけは覚えよう //

・the book which A + 動詞～ 「Aが～する〔～した〕本」

これは私が昨日買った本です。

私が昨日買った本

私が昨年訪れた国

私が昨日見た映画

私が見たい絵

表現を増やそう ＜一般動詞の変化　ABB 型＞

原形		過去形	過去分詞形
□ have	～を持っている	□ had	□ had
□ hear	～を聞く	□ heard	□ heard
□ keep	～を保つ	□ kept	□ kept
□ leave	～を出発する	□ left	□ left
□ lose	～を失う	□ lost	□ lost

豆知識

特に話し言葉では、目的格の関係代名詞がない形がよく使われます。

関係代名詞（which, that）を使わなくてもよいのは、名詞のすぐあとに「主語＋動詞」がついているときです。

This is the book (which) I bought yesterday.

↑省略可能です。

関係代名詞

先行詞	主格	目的格
人	who	who
もの	which	which
人、もの	that	that

5 仮定法（1）

I wish ～の文

基本例文 **I wish John were here.**

I wish ＋ 主語 ＋ 動詞の過去形～

I wish	John were here. I had much money.

I wish ＋ 主語 ＋ 助動詞（can）の過去形～

I wish	I could run fast. Bob could speak Japanese.

ポイント　<I wish ＋主語＋動詞／助動詞の過去形>

「（私は）～だったらいいのになあ」

実現できないことを願ったりするときに使う用法です。

解説

「ジョンがここにいてくれたらなあ。」と、実際には今ここにはいないのに、現実と違うことを言うときに表すのが仮定法です。今回は、I wish の後ろに来る3つの形を紹介します。

(1) I wish John were here.　（ジョンがここにいたらいいのになあ。）

→　実際は彼はここにいなくて残念。

be 動詞は常に were

(2) I wish I had much money.　（たくさんお金があればいいのになあ。）

→　実際はお金がたくさんないので残念。

一般動詞は常に過去形

(3) I wish I could run fast.　（速く走ることができたらなあ。）

→　実際は速く走れないので残念。

助動詞は常に過去形

\\ これだけは覚えよう //

- I wish ～ . 「～ならなあ」
- I wish I could ～ . 「私が～できたらなあ」

ジョンがここにいてくれたらなあ。

ジョンがここにいてくれたらなあ。
私がたくさんのお金を持っていたらなあ。

私が速く走ることができたらなあ。
ボブが日本語を話すことができたらなあ。

表現を増やそう

<一般動詞の変化　ABB 型>

原形		過去形	過去分詞形
□ make	～を作る	□ made	□ made
□ meet	～に会う	□ met	□ met
□ say	言う	□ said	□ said
□ send	～を送る	□ sent	□ sent
□ spend	～を過ごす	□ spent	□ spent

豆知識

I wish から始まる文で「～だったらなぁ」と表現することができます。
I wish のあとの文を過去形にするだけです。

I wish I (　　　　　　　　　　).

I wish ～（私がこうだったらいいなあ）と望んでいる文を書いてみましょう。

6 仮定法（2）
I wish ～の文

基本例文 I wish I were you.

I wish	I were you. Jim were here. a robot were in my house. it were sunny today.

ポイント ＜I wish ＋主語＋ were ～＞

「（私は）…が～だったら（いいのに）なあ」

I wish の後の文の be 動詞は常に were です。

解説

I wish から始まる文で「（私は）～ならいいのにな」「～だったらなぁ」と表現することができます。I wish の後ろが be 動詞の場合、主語の人称に関係なく were を使います。

過去形がきても、日本語に訳すときは現在形に直すことを忘れずにしましょう。

動詞が be 動詞の場合、主語の人称にかかわらず were を使います。

(1) I wish [I] were you.　（私があなたであればいいのになあ。）

→ 「うらやましい」という感情を伝えたいときに使える英語フレーズです。

(2) I wish [a robot] were in my house.　（ロボットが私の家にいればなあ。）

→ ロボットがいてくれたらなあと思うことありますよね。

(3) I wish [it] were sunny today.　（今日晴れていればなあ。）

→ 天候を表します。雨が降っているとき、晴れていればと思いますよね。

これだけは覚えよう

・I wish A were ～. 「A が～なら〔～だったら〕なあ」

私があなただったらなあ。

私があなただったらなあ。

ジムがここにいたらなあ。

ロボットが私の家にいたらなあ。

（天気が）今日、晴れだったらなあ。

表現を増やそう ＜一般動詞の変化　ABB 型＞

原形		過去形	過去分詞形
□ stand	立つ	□ stood	□ stood
□ sleep	眠る	□ slept	□ slept
□ teach	～を教える	□ taught	□ taught
□ tell	～を言う	□ told	□ told
□ think	～を考える	□ thought	□ thought

豆知識

be 動詞が否定文のときもあります。

(4) I wish [you] weren't leaving.（あなたが行かなければいいのに。）

「ここにとどまっていてほしい」という気持ちを表します。

wish は「願う」という意味です。

動詞が be 動詞の場合、主語（S）の人称にかかわらず were を使います。

7 仮定法（3）

I wish ～の文

基本例文　I wish I had a smartphone.

I wish ＋ 主語 ＋ 一般動詞の過去形～

I wish	I had a smartphone. I lived in Hawaii.

I wish ＋ 主語 ＋ 助動詞（can）の過去形～

I wish	I could speak English well. she could stay in Japan longer.

ポイント　<I wish ＋ I ＋動詞の過去形>「（私が）～であればなあ」

<I wish I could ～>「（私が）～できたらなあ」

I wish の後の文の動詞は常に過去形です。

解説

「スマートフォンを持っていたらなあ」と、現実には持っていないのに、仮定法は現実と違うことを表します。今回は一般動詞と助動詞を使った文です。

（1）一般動詞の文

I don't have a smartphone.　（私はスマートフォンを持っていません。）

↓

I wish I had a smartphone.　（スマートフォンを持っていればなあ。）

（2）助動詞（could）のある文

I cannot speak English well.　（私は英語を上手に話すことができません。）

↓

I wish I could speak English well.　（英語を上手に話すことができたらなあ。）

\\ これだけは覚えよう //

・I wish I had ～ .　「～を持っていればなあ」
・I wish A could ～ .　「A が～できたらなあ」

（私が）スマートフォンを持っていればなあ。

（私が）スマートフォンを持っていればなあ。
（私が）ハワイに住んでいればなあ。

（私が）英語を上手に話すことができたらなあ。
彼女が日本にもっと長く滞在することができたらなあ。

表現を増やそう　<一般動詞の変化　ABB 型と ABC 型>

	原形		過去形	過去分詞形
ABB 型	□ understand	～を理解する	□ understood	□ understood
	□ win	～に勝つ	□ won	□ won
ABC 型	□ begin	～を始める	□ began	□ begun
	□ break	～を壊す	□ broke	□ broken
	□ choose	～を選ぶ	□ chose	□ chosen

豆知識

「～だったらいいなあ」と願っている文は I wish で始めます。後ろの文は<主語＋過去形>にします。訳すときは、過去形がきても現在形に直すことを忘れずに。

I wish I had more time to sleep.　（寝る時間がもっとあればなあ。）
I wish I could go to Paris with Maki.　（マキとパリに行くことができたらなあ。）

8 仮定法（4）
If I were ～の文

基本例文　If I were a bird, I could fly in the sky.

If I were a bird,	I could fly in the sky.
If I were you,	I would hurry.
If it were fine,	we could go camping.
If John were here,	he would help me.

ポイント　<If I were ～ , I could ...>

「もし私が～なら、私は…できるのになあ」

仮定法は「If A（過去形）, B（過去形）」の形をとります。

解説

「もし私が鳥ならば、空を飛べるのに」のように、仮定法は実現できないことを願ったりするときに使う用法です。

(A) be 動詞を were にする。

If I am a bird,　→　If I were a bird,　（もし私が鳥だったら、）

I am の過去形は通常 I was ですが、仮定法のときだけ、were を使います。

If の文で、「もし～だったら」という文を作ったら、もうひとつの文には助動詞の過去形を使います。

主に使われる助動詞は would と could です。

(B) 助動詞 can を過去形にする。

I can fly in the sky.　→　I could fly in the sky.（空を飛べるのになぁ。）

助動詞 can を過去形 could にします。助動詞の後ろは常に原形でしたね。

\\ これだけは覚えよう //

・If I were ～ , I could ...
「もし私が～なら、私は…できるのに」

もし私が鳥ならば、空を飛ぶことができるのに。

もし私が鳥ならば、空を飛ぶことができるのに。

もし私があなたなら、急ぐでしょう。

もし晴れているなら、私たちはキャンプに行けるのに。

もしジョンがここにいたら、私を手伝ってくれるのに。

表現を増やそう

＜一般動詞の変化　ABC 型＞

原形		過去形	過去分詞形
□ drink	～を飲む	□ drank	□ drunk
□ eat	～を食べる	□ ate	□ eaten
□ fall	落ちる	□ fell	□ fallen
□ fly	飛ぶ	□ flew	□ flown
□ give	～を与える	□ gave	□ given

豆知識

If it were fine, we could go camping.（もし晴れているなら、私たちはキャンプに行けるのに。）
→（現実は晴れていないので、キャンプに行けない。）

If John were here, he would help me.（ジョンがここにいたら、私を助けてくれるのに。）
→（現実はジョンはここにいないので、私を助けてくれない。）

現在の事実に反することや、あり得ないことを表す文です。

9 仮定法（5）

If I had ～の文

基本例文　If I had wings, I would fly in the sky.

If I had wings,	I would fly in the sky.
If I had a plane,	I would travel around the world.
If I had some food,	I would give it to you.
If I lived in Hawaii,	I would go to the beach every day.

ポイント　<If I + 過去形 ～ , I would ...>

「もし私が～なら、私は…するだろう」

仮定法は「If A（過去形）, B（過去形）」の形をとります。

解説

「もし翼を持っていれば、私は空を飛ぶだろう」と、現実には翼がないのに仮定法は、現実とは違うことを表します。

If I had wings, I would fly in the sky.

(A) 動詞を過去形にする。

If I have wings, → If I had wings, （もし翼を持っていれば、）

一般動詞も同じく、過去形にしましょう。If の文で、「もし～だったら」という文を作ったら、もうひとつの文には助動詞の過去形を使います。

will の過去形 would
can の過去形 could

(B) 助動詞 will を過去形にする。

I will fly in the sky. → I would fly in the sky.（空を飛ぶだろうなぁ。）

助動詞 will を過去形 would にします。

助動詞の後ろは常に原形でしたね。

＼＼これだけは覚えよう／／

・If A + 過去形 , B would ...

「もしＡが〜なら、Ｂは…するだろう」

もし私が翼を持っていれば、私は空を飛ぶだろう。

	翼を持っていれば、	私は空を飛ぶだろう。
もし私が	飛行機を持っていれば、	世界中を旅するだろう。
	食べ物を持っていれば、	あなたにあげるだろう。

もし私が	ハワイに住んでいれば、	浜辺に毎日行くだろう。

表現を増やそう

＜一般動詞の変化　ABC 型＞

原形		過去形	過去分詞形
□ grow	成長する	□ grew	□ grown
□ know	〜を知っている	□ knew	□ known
□ ride	〜に乗る	□ rode	□ ridden
□ see	〜を見る	□ saw	□ seen
□ sing	歌う	□ sang	□ sung

豆知識

would は「〜するのになぁ」、could は「〜できるのになぁ」と訳すイメージで使い分けましょう。

If I had a time machine, I could go to the future.

（タイムマシンがあれば、未来に行けるのになあ。）

仮定法はあり得ない仮定を表現する方法で、動詞あるいは助動詞を過去形にすることで、現在と距離感をつくります。

10　仮定法（6）

If it were ～の文

基本例文　If it were sunny today, I would go fishing.

If it were sunny / rainy today,	I would go fishing. / read some books.
If it were / weren't windy, / snowy,	we could fly a kite. / drive a car.

ポイント　< If it were ～，主語 would〔could〕...>

「もし～なら、主語は…する〔…できる〕のになあ」

仮定法は「If A（過去形），B（過去形）」の形をとります。

解説

今回は、あり得る仮定と、あり得ない仮定を分けてお話しします。

If ～の文は、あり得る仮定〔条件文〕とあり得ない仮定〔仮定法〕があります。「こうだったらいいなあ」と願う文が仮定法です。

(1) あり得る仮定〔条件文〕

If it is sunny tomorrow, I will go fishing.　←　現在形

晴れるかもしれないから…

（もし明日晴れれば、私は釣りに行くつもりです。）

(2) あり得ない仮定〔仮定法〕

実際には晴れていないから…

If it were sunny today, I would go fishing.

（もし今日晴れていれば、私は釣りに行くのに。）←　現実とは異なる仮定は、過去形

(2) は、今日は雨が降っているのに反して、「今晴れていれば」と現実とは異なることを述べています。

\\ これだけは覚えよう //

・If it were ～ , A would〔could〕...

「もし～なら、A は…する〔…できる〕のになあ」

もし今日晴れていれば、私は釣りに行くのになあ。

もし今日晴れていれば、私は釣りに行くのになあ。

もし今日、雨が降れば、私は何冊か本を読むのになあ。

もし風があれば、　私たちはたこを上げられるのになあ。

もし雪でなければ、私たちは車を運転できるのになあ。

表現を増やそう

〈一般動詞の変化 ABC 型〉

原形		過去形	過去分詞形
□ speak	話す	□ spoke	□ spoken
□ steal	～を盗む	□ stole	□ stolen
□ take	～を取る	□ took	□ taken
□ wear	～を着ている	□ wore	□ worn
□ write	～を書く	□ wrote	□ written

豆知識

仮定法のとき、If 節の中の be 動詞は、主語（人称、数）は関係なく were を使います。

If I were you, I would hurry.
（もし私があなたなら、私は急ぐでしょう。）

If it were sunny today, we could go camping.
（もし今日晴れていれば、私たちはキャンプに行けるのに。）

If John were here, he would cook dinner.
（もしジョンがここにいれば、彼は夕食を作ってくれるのに。）

関係代名詞、仮定法

❶ 名詞を後置修飾する文（関係代名詞）

10 章で学んだ関係代名詞は who, which, that の 3 種類です。

先行詞が

「人」の場合　who（または that）を使う

「もの」の場合　which（または that）を使う

who は「人」を説明するときに、which は「もの」を説明するときに使います。that は「人」「もの」どちらにも使うことができます。

(1) 関係代名詞を使う場合

先行詞の後で、主語がない場合です。

I have a friend who is from America.（私はアメリカ出身の友達がいます。）

This is the bus which goes to the station.（これは駅へ行くバスです。）

(2) 関係代名詞を省略できる場合

先行詞の後で、主語と動詞がある場合です。

This is the man (that) I met in the library.（こちらは私が図書館で会った男性です。）

This is the picture (that) I took last year.（これは私が去年撮った写真です。）

話し言葉では、目的格の関係代名詞が省略されることが多いです。

❷ 仮定法の文の作り方のまとめ

現実（あり得る）と願望（あり得ない）を比較しましょう。

仮定法

(1)「もしも英語を話せたら…」

「～だったら」を言いたいときこそ、仮定法の出番です。仮定法は事実ではないこと、現実にはありそうもない仮想や願望を表す表現なのです。

I wish I could speak English.　（英語を話せたらいいのになあ）
→　実際は英語を話せない。〔仮定法過去〕

現実	I am in Tokyo now.	（私は今、東京にいます。）
願望	I wish I were in Osaka now.	（今、大阪にいればなあ。）
現実	I don't live in London.	（私はロンドンに住んでいません。）
願望	I wish I lived in London.	（ロンドンに住んでいればなあ。）

Ifの有無が必ずしも仮定法かどうかを決めるわけではありません。大切なのは動詞・助動詞の形です。単純に「～ならいいのになあ」という現在の事実に反することや願望を表すために、この「I wish ＋仮定法過去」の形が使われます。

(2) If ～ , の部分でも、be 動詞は were を使うことが多いです。

Ifを使った「(A) もし～ならば、(B) …なのになあ」の意味になるように、(A) と (B) に分けて考えましょう。

If ...

あり得る	If it is sunny tomorrow, I will go fishing. （もし明日晴れれば、私は釣りに行くつもりです。）
あり得ない	If it were sunny today, I would go fishing. （もし今日晴れなら、私は釣りに行くのに。）
あり得る	If you buy a smartphone, you can surf the internet. （もしあなたがスマートフォンを買えば、ネット検索ができます。）
あり得ない	If you had a smartphone, you could surf the internet. （もしスマートフォンを持っていたら、ネット検索ができるのに。）

＜主語＋ would / could ＋動詞の原形＞
would →「できる」以外（～だろうに）　could →「～できるのに」

おわりに

最後まで読んでいただきありがとうございます。

まるっと中学英語を総復習できましたか？　あの頃わからなかった英文法が少しでもわかるようになったら幸いです。しかし、英語学習は、１回読んで終わるものではありません。本書は、最初から順番に読まなくても、どのページからでも学習できます。どのページからでも中学英語の「基本のきほん」を学習できますから、２回目、３回目、と学習を積み重ねていってください。

本書はきれいに使う必要はありません。ぜひ、いろいろ書き込んで、自分だけのたったひとつの『まるっとわかる！　中学英語の基本のきほん』を作り上げてください。本書とぜひ、対話してください。そうすれば、きっと次の英語もわかりますよね。

I know I can do it.
Everything is going to be fine.
I'm stronger than I think.

皆さんの、今後のご活躍を心より応援しています。

最後に、これまでの教員人生で関わったすべての生徒・学生の皆さんにも心から感謝いたします。本書が英語を少しでも学び直したいと思う多くの方々のお役に立てれば幸いです。

令和６年７月
曽根典夫

質問券

本書を読んでわからないところがあったら
曽根先生に質問してみよう！

送り先：明日香出版社編集部（メールまたは郵送）
メールアドレス：language@asuka-g.co.jp
住所：東京都文京区水道2-11-5（〒112-0005）

質　問

郵送でご質問の際は必ずご記入ください。
（※記入が不完全な場合はご対応いたしかねます。）

お名前

年齢

メールアドレス

（郵送ご希望の場合は住所をご記入ください）
ご住所

※本書以外のご質問は受けかねます。

※明日香出版社から先生の回答をメールまたは郵便で送ります。（土日祝日を除く）

著者
曽根典夫（そね・のりお）
1972 年生まれ。茨城大学大学院修了。県立の高等学校、中等教育学校の教諭を経て、2015 年より筑波大学附属高等学校教諭。
一般財団法人語学教育研究所研究員。茨城大学非常勤講師。元茨城県高等学校教育研究会英語部指導法研究委員。
検定教科書を軸として学校だからこそできる活動を日々考える。生徒の「できた、言えた」という表情を見ることに喜びを感じる。

＜執筆・研究発表など＞
・文部科学省検定教科書 Power On Communication English I, II（東京書籍）のアクティブラーニング編執筆・単著（2017 年、2018 年）。
・「英語教育」（大修館書店）に寄稿。
「生徒の発話を促す授業開き：思考力・判断力・表現力を養うためのセンセイ自身の準備運動」（2018 年 4 月号）、「書く力をつける高校の活動アイデア―スモールステップで文法の定着へ」（2024 年 6 月号）など。
・実践報告：発表活動のためのリテリング指導―「英語コミュニケーション I」における授業実践例『筑波大学附属高等学校研究紀要』第 64 巻（2022 年）。
・公開授業／研究発表：一般財団法人語学教育研究所主催の研究大会、および高等学校教育研究大会などで発表多数。

まるっとわかる！中学英語の基本のきほん

2024 年 7 月 29 日 初版発行
2024 年 9 月 30 日 第 6 刷発行

著者 曽根典夫
発行者 石野栄一
発行 明日香出版社
〒 112-0005 東京都文京区水道 2-11-5
電話 03-5395-7650
https://www.asuka-g.co.jp
装丁 小口翔平＋後藤司（tobufune）
本文デザイン 梅里珠美（北路社）
組版 株式会社デジタルプレス
イラスト キタハラケンタ
校正 Michiko Whipple
印刷・製本 株式会社フクイン

ISBN 978-4-7569-2342-4